30일
수학 하

CONTENTS

08 입체도형의 성질

CONTENTS

"30일만에 초·중 수학의 맥을 잡다."

예 정수와 유리수의 맥

초등학교 때 분수와 소수 계산을 못했어도 이제 잘할 수 있다.

중학교에서 배우는 수학은 초등의 내용을 기초로 하고 있습니다. 그래서 초등의 수학 개념에 대한 이해가 부족하면 중학교 수학을 제대로 공부할 수 없습니다. 그러나 '30일 수학'은 초등학교 때 분수와 소수의 혼합 계산을 못했어도 중학교 때의 정수와 유리수의 혼합 계산을 잘 할 수 있게 해줍니다.

취약점을 파악하여 선택적으로 학습한다.

수학을 공부하면서 어려웠던 단원을 생각해 보고, 그 단원에 맞는 주제를 선택하여 그 주제부터 공부해 봅시다. 예를 들어 정수와 유리수 단원을 공부하면서 어려웠다면 초등학교 때의 분수와 소수의 사칙계산 개념 이해가 부족한 것일 수 있습니다. 이때 '30일 수학'의 '02 정수와 유리수'를 선택하여 학습한다면 정수와 유리수에 대한 모든 것을 알 수 있습니다.

방학 특강, 방과 후 수업 등 특강용 교재로 활용한다.

소인수분해 특강, 정수와 유리수 특강, 문자와 식 특강 등 영역별로 특강을 통해 바탕부터 확실히 기본기를 다질 수 있습니다. 방학이나 방과 후 수업 등 보충 특강용 교재로 활용하면 부족한 수학 개념을 단기간에 보충할 수 있습니다.

초등학교 때 수학을 못했어도 30일만에 수학의 맥을 잡다.

'30일 수학'은 주제별로 초등부터 중학교 1학년까지의 수학 개념을 하나의 맥으로 연결시켜주는 개념 유형 문제집입니다. 중학교 1학년 교과서에 수록된 기본적인 수학 문제에 요구되는 초등 수학 개념을 되짚어 보고 유형 유제를 통해 원리를 연습하여 주제별로 개념을 마스터 할 수 있습니다. 초등학교 때 수학을 못했어도 30일만에 수학의 맥을 잡아 봅시다. 그동안 수학의 기초가 부족해서, 어떻게 공부해야 할 지 몰라서 답답했다면 이제부터 '30일 수학'과 함께 수학을 다시 시작해 봅시다.

06

기본 도형과 작도

컴퍼스를 이용하여 원을 그리는 방법

① 원의 중심이 되는 점 O 정하기

② 컴퍼스를 원의 반지름의 길이 만큼 벌리기

③ 컴퍼스의 침을 점 O에 꽂고 원 그리기

001

반지름의 길이가 5 cm인 원을 그리려고 한다. 그리는 순서대로 기호를 쓰시오.

ㄱ. 컴퍼스를 5 cm가 되도록 벌린다.
ㄴ. 원의 중심이 되는 점 O를 정한다.
ㄷ. 컴퍼스의 침을 점 O에 꽂고 원을 그린다.

002

☑8877-0001

컴퍼스를 사용하여 반지름의 길이가 3 cm인 원을 그리려고 한다. 다음 그림에서 연필심을 어느 곳에 놓아야 하는지 기호를 쓰시오.

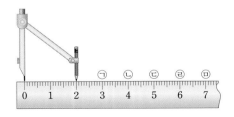

003

컴퍼스를 다음 그림과 같이 벌려서 그린 원의 반지름의 길이는 몇 cm인지 구하시오.

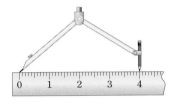

004

☑8877-0002

주어진 모양을 그리기 위하여 컴퍼스의 침을 꽂아야 할 곳을 모눈종이에 모두 표시하시오. 그리고 침을 꽂은 부분이 가장 많은 모양을 찾아 기호를 쓰시오.

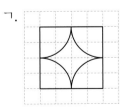

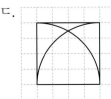

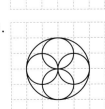

유형 06-2 각도

(1) 각

① 각: 한 점에서 그은 두 반직선으로 이루어진 도형으로 오른쪽 그림의 각은

<u>각 ABC 또는 각 CBA</u>라고 읽는다.

↳ 꼭짓점이 가운데 오도록 한다.

② 변: 반직선 BA, 반직선 BC

③ 꼭짓점: 점 B

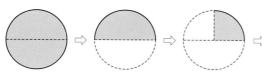

(2) 각의 크기

① 직각: 종이를 반듯하게 두 번 접었을 때 생기는 각으로 크기가 90°인 각

② 예각: 0°보다 크고 직각(90°)보다 작은 각

③ 둔각: 직각(90°) 보다 크고 180°보다 작은 각

↳ 직각을 90 등분한 것 중 하나를 1도라 하고, 1°라고 쓴다.

005

오른쪽 그림에서 각 AOB의 크기를 구하시오.

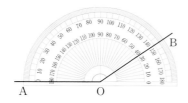

006

다음 그림의 □ 안에 예각은 '예', 직각은 '직', 둔각은 '둔'이라고 써넣으시오.

(1)
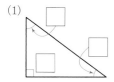

(2)
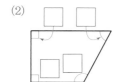

007

☑8877-0003

다음 그림의 □ 안에 알맞은 각도를 써넣으시오.

(1)

(2)

008

☑8877-0004

다음 각도의 합과 차를 구하시오.

(1) $42° + 63°$

(2) $200° - 105°$

(1) 수직

① 두 직선이 서로 만나서 이루는 각이 직각일 때, 두 직선은 서로 수직이라고 한다.

② 두 직선이 서로 수직으로 만나면 한 직선을 다른 직선에 대한 수선이라고 한다.

(2) 평행

① 한 직선에 수직인 두 직선을 그었을 때, 두 직선은 만나지 않고 이를 평행하다고 한다.

② 평행한 두 직선을 평행선이라고 한다.

(3) 평행선 사이의 거리

평행선의 한 직선에서 다른 직선에 그은 수선의 길이를 평행선 사이의 거리라고 한다.
↳ 선분 중에서 가장 짧다.
↳ 어디에서 재어도 모두 같다.

009

각도기를 사용하여 직선 ㈎에 대한 수선을 그릴 때, 순서에 맞게 차례로 기호를 쓰시오.

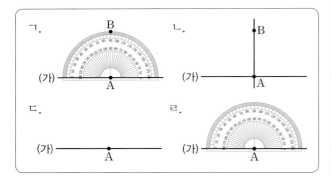

010

☑8877-0005

오른쪽 그림에서 선분 EB는 선분 BD에 대한 수선이다. 각 ABE의 크기를 구하시오.

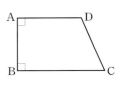

011

☑8877-0006

오른쪽 도형을 보고 다음 물음에 답하시오.

(1) 변 AB에 수직인 변을 모두 구하시오.

(2) 변 AD와 평행한 변을 구하시오.

012

☑8877-0007

직사각형 모양의 종이를 오른쪽 그림과 같이 접었다. 각 EFH의 크기를 구하시오.

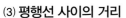

013

☑8877-0008

오른쪽 도형에서 평행선 사이의 거리를 구하시오.

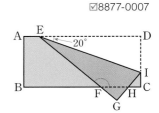

(1) **합동**: 모양과 크기가 같아서 포개었을 때 완전히 겹쳐지는 두 도형을 서로 합동이라고 한다.
  합동인 두 도형을 완전히 포개었을 때 겹쳐지는 점을 대응점, 겹쳐지는 변을 대응변, 겹쳐지는 각을 대응각이라고 한다.

(2) **합동인 도형의 성질**
  ① 합동인 도형에서 대응변의 길이는 서로 같다.
  ② 합동인 도형에서 대응각의 크기는 서로 같다.

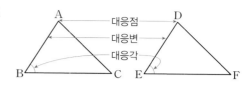

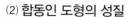

014

☑8877-0009

합동인 두 도형에 대한 설명으로 옳은 것은?

① 넓이가 같으면 서로 합동이라고 한다.
② 모양이 같으면 서로 합동이라고 한다.
③ 변의 수가 같으면 서로 합동이라고 한다.
④ 각의 수가 같으면 서로 합동이라고 한다.
⑤ 두 도형을 포개었을 때 완전히 겹쳐지면 서로 합동이라고 한다.

015

다음 그림에서 서로 합동인 두 도형을 모두 찾으시오.

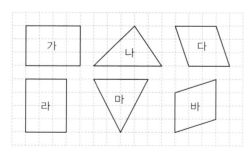

016

☑8877-0010

다음 두 삼각형은 합동이다. 물음에 답하시오.

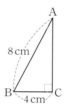 

(1) 점 C의 대응점을 구하시오.
(2) 변 DF의 길이를 구하시오.
(3) 각 BAC의 크기를 구하시오.

017

☑8877-0011

다음 두 사각형이 합동일 때, 사각형 EFGH의 둘레의 길이를 구하시오.

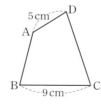 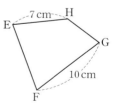

018

☑8877-0012

오른쪽 그림과 같이 삼각형 모양의 종이를 접었을 때, 각 ADF의 크기를 구하시오.

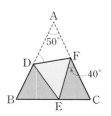

(1) **도형**

① 평면도형: 삼각형, 사각형, 원과 같이 한 평면 위에 있는 도형

② 입체도형: 삼각뿔, 직육면체, 원기둥과 같이 한 평면 위에 있지 않은 도형

(2) **점, 선, 면** → 도형의 기본 요소

① 교점: 선과 선 또는 선과 면이 만나서 생기는 점

② 교선: 면과 면이 만나서 생기는 선 → 직선 또는 곡선

참고 선은 무수히 많은 점으로 이루어져 있고, 면은 무수히 많은 선으로 이루어져 있다.

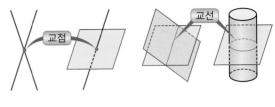

예 사면체에서 교점과 교선의 개수를 구하면

(교점의 개수)=(꼭짓점의 개수)=4(개)

(교선의 개수)=(모서리의 개수)=6(개)

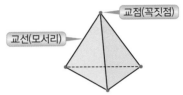

019

☑8877-0013

다음 중 옳지 <u>않은</u> 것은?

① 도형을 이루는 기본 요소는 점, 선, 면이다.

② 점이 연속하여 움직인 자리는 선이 된다.

③ 선이 연속하여 움직인 자리는 면이 된다.

④ 선과 선이 만나서 생기는 점을 교점이라 한다.

⑤ 면과 면이 만나서 생기는 선은 직선이다.

020

☑8877-0014

오른쪽 그림과 같은 입체도형을 보고 물음에 답하시오.

(1) 모서리 AB와 모서리 BC의 교점을 구하시오.

(2) 면 ACD와 면 BCD의 교선을 구하시오.

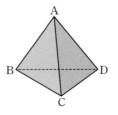

021

☑8877-0015

오른쪽 그림과 같은 입체도형에서 교점의 개수를 a개, 교선의 개수를 b개, 면의 개수를 c개라 할 때, $a-b+c$의 값을 구하시오.

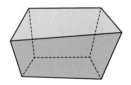

022

☑8877-0016

오른쪽 그림과 같은 직육면체에 대한 설명으로 옳지 <u>않은</u> 것은?

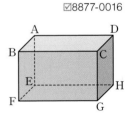

① 면의 개수는 6개이다.

② 모서리 AB와 모서리 AD의 교점은 점 A이다.

③ 모서리 BC와 면 CGHD의 교점은 점 C이다.

④ 면 AEHD와 면 EFGH의 교선은 $\overline{DH}$이다.

⑤ 교점의 개수와 교선의 개수의 합은 20개이다.

유형 06-6 직선, 반직선, 선분

(1) **직선의 결정**: 한 점을 지나는 직선은 무수히 많지만 서로 다른 두 점을 지나는 직선은 오직 하나뿐이다. → 서로 다른 두 점은 한 직선을 결정한다.

일반적으로 점은 대문자 A, B, C, … 로 나타내고, 직선은 소문자 l, m, n, …으로 나타낸다.

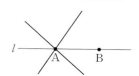

(2) **직선, 반직선, 선분**

① 직선 AB: 서로 다른 두 점 A, B를 지나는 직선 → 한 직선 위의 두 점을 지나는 직선은 모두 같은 직선

② 반직선 AB: 직선 AB 위의 점 A에서 시작하여 점 B쪽으로 뻗어 나가는 부분

③ 선분 AB: 직선 AB 위의 두 점 A, B를 포함하여 점 A에서 점 B까지의 부분

선	직선 AB	반직선 AB	선분 AB
기호	$\overleftrightarrow{AB}$	$\overrightarrow{AB}$	$\overline{AB}$
그림	A ● —— ● B	---● A —— ● B	● A —— ● B ---
특징	$\overleftrightarrow{AB}=\overleftrightarrow{BA}$	$\overrightarrow{AB}\neq\overrightarrow{BA}$	$\overline{AB}=\overline{BA}$ → 양 끝 점이 같은 선분은 서로 같다.

• $\overrightarrow{AB}$와 $\overrightarrow{BA}$는 시작점이 다르고 방향도 반대이므로 서로 다른 반직선이다.
• 시작점과 방향이 각각 같은 반직선은 서로 같다.

예 한 직선 위의 세 점 A, B, C 중에서 두 점을 골라 만들 수 있는 서로 다른 직선은 $\overleftrightarrow{AB}$의 1개, 서로 다른 반직선은 $\overrightarrow{AB}$, $\overrightarrow{BC}$, $\overrightarrow{CA}$, $\overrightarrow{BA}$의 4개, 서로 다른 선분은 $\overline{AB}$, $\overline{BC}$, $\overline{AC}$의 3개이다.

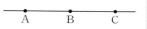

023
☑8877-0017

한 직선 위에 있지 않은 서로 다른 세 점 A, B, C 중에서 두 점을 이어서 만들 수 있는 직선의 개수를 구하시오.

024
☑8877-0018

다음 중 옳지 <u>않은</u> 것은?

① 한 점을 지나는 직선은 무수히 많다.

② 방향이 같은 두 반직선은 서로 같다.

③ $\overleftrightarrow{AB}=\overleftrightarrow{BA}$, $\overrightarrow{AB}\neq\overrightarrow{BA}$, $\overline{AB}=\overline{BA}$

④ 두 점 A, B를 잇는 선 중에서 가장 짧은 것은 선분 AB이다.

⑤ 서로 다른 두 점을 지나는 직선은 오직 하나뿐이다.

025

아래 그림과 같이 직선 l 위에 네 점 A, B, C, D가 있을 때, 다음 중 $\overrightarrow{AC}$와 같은 것은?

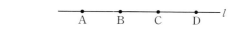

① $\overleftrightarrow{AB}$　　　② $\overrightarrow{AB}$　　　③ $\overrightarrow{AB}$
④ $\overrightarrow{BC}$　　　⑤ $\overrightarrow{CA}$

026
☑8877-0019

아래 그림과 같이 직선 l 위에 세 점 A, B, C가 있을 때, 다음과 같은 것을 보기에서 모두 고르시오.

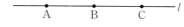

보기

ㄱ. $\overleftrightarrow{AB}$　　ㄴ. $\overrightarrow{AC}$　　ㄷ. $\overline{BC}$　　ㄹ. $\overline{BA}$
ㅁ. $\overrightarrow{BC}$　　ㅂ. $\overrightarrow{BA}$　　ㅅ. $\overleftrightarrow{BC}$　　ㅇ. $\overrightarrow{CA}$

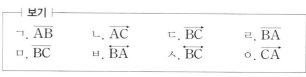

(1) $\overleftrightarrow{AB}$　　　(2) $\overrightarrow{CB}$　　　(3) $\overline{CB}$

(1) 두 점 A, B 사이의 거리

두 점 A, B를 잇는 가장 짧은 선분 AB의 길이 ⇨ $\overline{AB}$

두 점 A, B 사이의 거리

(2) 선분 AB의 중점

선분 AB 위의 한 점 M에 대하여 $\overline{AM}=\overline{MB}$일 때, 점 M을 선분 AB의 중점이라고 한다.

$\overline{AM}=\overline{MB}=\dfrac{1}{2}\overline{AB}$

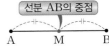

선분 AB의 중점

예 오른쪽 그림에서 점 M이 선분 AB의 중점일 때,

$\overline{AM}=\overline{MB}=\dfrac{1}{2}\overline{AB}=\dfrac{1}{2}\times 6=3(\text{cm})$

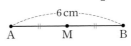

027

☑8877-0020

다음 그림에서 점 M은 $\overline{AB}$의 중점이고, 점 C, D는 각각 $\overline{AM}$, $\overline{MB}$의 중점일 때, □ 안에 알맞은 수를 써넣으시오.

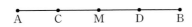

(1) $\overline{AB}=\boxed{}\overline{CM}$

(2) $\overline{AC}=\boxed{}\overline{AD}$

(3) $\overline{AD}=\boxed{}\overline{AB}$

028

☑8877-0021

다음 그림에서 $\overline{AB}=16\ \text{cm}$이고 $\overline{AC}$, $\overline{CB}$의 중점을 각각 M, N이라 할 때, $\overline{MN}$의 길이를 구하시오.

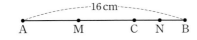

029

☑8877-0022

다음 그림에서 $\overline{AB}=\overline{BC}=\overline{CD}$이고 $\overline{AD}=12\ \text{cm}$이다. $\overline{AB}$, $\overline{BC}$, $\overline{CD}$의 중점을 각각 L, M, N이라 할 때, □ 안에 알맞은 수를 구하시오.

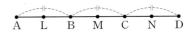

(1) $\overline{AB}=\boxed{}\ \text{cm}$

(2) $\overline{LM}=\boxed{}\ \text{cm}$

(3) $\overline{LN}=\boxed{}\overline{AD}$

030

☑8877-0023

한 직선 위의 네 점 A, B, C, D가 다음 세 조건을 모두 만족할 때, $\overline{AD}$의 길이를 구하시오.

> (가) 점 B는 $\overline{AC}$를 삼등분하는 점 중에서 점 A에 가까운 점이다.
> (나) 점 C는 $\overline{BD}$의 중점이다.
> (다) $\overline{AB}$의 길이는 5 cm이다.

유형 06-8 각

(1) **각 AOB**: 한 점 O에서 시작하는 두 반직선 OA, OB로 이루어진 도형

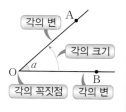

① [기호] ∠AOB, ∠BOA, ∠O, ∠a
　　↘ 각의 꼭짓점은 항상 가운데에 써야 한다.

② **각의 크기**: ∠AOB에서 꼭짓점 O를 중심으로 $\overrightarrow{OB}$가 $\overrightarrow{OA}$까지 회전한 양을 ∠AOB의 크기라고 한다.

　참고 일반적으로 ∠AOB는 크기가 작은 쪽의 각을 말한다. 오른쪽 그림에서 ∠AOB의 크기는 120° 또는 240°라고 생각할 수 있지만 보통 작은 쪽의 각 120°를 말한다.

(2) **각의 분류**

① **평각**(180°): 각의 두 변이 한 직선을 이루는 각

② **직각**(90°): 평각의 크기의 $\frac{1}{2}$인 각

③ **예각**: 0°보다 크고 90°보다 작은 각 **예** 22°, 45°, 71°, …

④ **둔각**: 90°보다 크고 180°보다 작은 각 **예** 93°, 152°, 176°, …

031　　☑8877-0024

다음 중 예각 또는 둔각을 잘못 짝지은 것은?

① 30° – 예각　② 70° – 예각　③ 91° – 예각

④ 110° – 둔각　⑤ 137° – 둔각

032　　☑8877-0025

오른쪽 그림에서 직각을 찾아 기호로 나타낼 때, 다음 중 옳지 <u>않은</u> 것은?

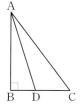

① ∠B　　② ∠ABD

③ ∠ADC　④ ∠CBA

⑤ ∠DBA

033　　☑8877-0026

다음 그림에서 ∠x의 크기를 구하시오.

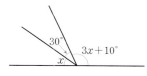

034　　☑8877-0027

다음 그림에서 ∠x의 크기를 구하시오.

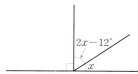

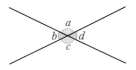

(1) **교각**: 두 직선이 한 점에서 만났을 때 생기는 네 각

    ⇨ $\angle a$, $\angle b$, $\angle c$, $\angle d$

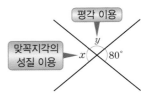

(2) **맞꼭지각**: 교각 중에서 서로 마주 보는 각

    ⇨ $\angle a$와 $\angle c$, $\angle b$와 $\angle d$

참고 위의 그림에서

    $\angle a + \angle b = 180°$이므로 $\angle a = 180° - \angle b$ …… ㉠

    $\angle b + \angle c = 180°$이므로 $\angle c = 180° - \angle b$ …… ㉡

    따라서 ㉠, ㉡에 의해 $\angle a = \angle c$

(3) **맞꼭지각의 성질**: 맞꼭지각의 크기는 서로 같다.

    예 오른쪽 그림에서 $\angle x$, $\angle y$의 크기를 각각 구해 보자.

      $\angle x = 80°$ (맞꼭지각)

      $80° + \angle y = 180°$ (평각)이므로

      $\angle y = 100°$

평각 이용

맞꼭지각의 성질 이용

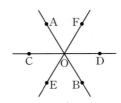

035

오른쪽 그림에서 $\angle AOD$의 맞꼭지각은?

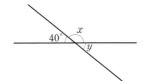

① $\angle AOC$ ② $\angle BOE$

③ $\angle BOC$ ④ $\angle DOE$

⑤ $\angle AOE$

036

☑8877-0028

다음 그림에서 $\angle x$, $\angle y$의 크기를 각각 구하시오.

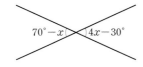

037

☑8877-0029

다음 그림에서 $\angle x$의 크기를 구하시오.

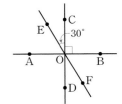

038

☑8877-0030

오른쪽 그림에서 $\overleftrightarrow{AB}$와 $\overleftrightarrow{CD}$는 수직으로 만나고, $\angle COE = 30°$일 때, 다음 중 옳지 않은 것은?

① $\angle AOE = 60°$

② $\angle DOF = 30°$

③ $\angle AOC = 90°$

④ $\angle AOF = 120°$

⑤ $\angle DOE = 140°$

039

☑8877-0031

다음 그림에서 $\angle x + \angle y$의 크기를 구하시오.

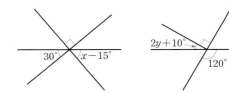

유형 06-10 수직과 수선

(1) **직교**: 두 직선 AB와 CD의 교각이 직각일 때, 이 두 직선은 서로 직교한다고 한다.

[기호] $\overleftrightarrow{AB} \perp \overleftrightarrow{CD}$

(2) **수직과 수선**: 직교하는 두 직선은 서로 수직이라 하고, 한 직선을 다른 직선의 수선이라고 한다. 예 $\overleftrightarrow{AB}$의 수선은 $\overleftrightarrow{CD}$이다.

참고 **수직이등분선**

선분 AB의 중점 M을 지나고 선분 AB에 수직인 직선 l을 선분 AB의 수직이등분선이라고 한다. → $l \perp \overline{AB}$, $\overline{AM} = \overline{BM}$

(3) **수선의 발**: 직선 l 위에 있지 않은 점 P에서 직선 l에 수선을 그어 생기는 교점을 H라고 할 때, 이 점 H를 점 P에서 직선 l에 내린 수선의 발이라고 한다.

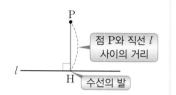

점 P와 직선 l 사이의 거리

수선의 발

(4) **점과 직선 사이의 거리**: 직선 l 위에 있지 않은 점 P에서 직선 l에 내린 수선의 발 H까지의 거리 → $\overline{PH}$의 길이

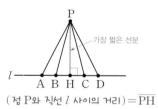

가장 짧은 선분

(점 P와 직선 l 사이의 거리)=$\overline{PH}$

040

☑8877-0032

오른쪽 그림을 보고 다음 물음에 답하시오.

(1) 점 A에서 $\overleftrightarrow{CD}$에 내린 수선의 발을 말하시오.

(2) 점 C에서 $\overleftrightarrow{AB}$ 까지의 거리를 기호로 나타내시오.

041

☑8877-0033

오른쪽 그림과 같이 한 눈금의 크기가 1 cm인 모눈종이 위에 세 점 A, B, C와 직선 l이 주어졌다. 직선 l과 가장 가까운 점과 직선 l 사이의 거리를 구하시오.

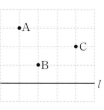

042

☑8877-0034

아래 그림과 같은 사다리꼴 ABCD에 대한 다음 설명 중 옳지 **않은** 것은?

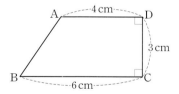

① $\overline{BC}$와 직교하는 선분은 $\overline{CD}$이다.
② $\overline{CD}$와 수직으로 만나는 선분은 $\overline{AD}$, $\overline{BC}$이다.
③ 점 B에서 $\overleftrightarrow{CD}$에 내린 수선의 발은 점 C이다.
④ 점 B와 $\overline{AD}$ 사이의 거리는 4 cm이다.
⑤ 점 A와 $\overline{CD}$ 사이의 거리는 4 cm이다.

(1) 점과 직선의 위치 관계

① 점 A는 직선 l 위에 있다. → 직선 l이 점 A를 지난다.

② 점 B는 직선 l 위에 있지 않다. → 직선 l이 점 B를 지나지 않는다.
점 B는 직선 l 밖에 있다.

(2) 평면에서 두 직선의 위치 관계

평면에서 두 직선 l, m의 위치 관계는 다음과 같다.

① 한 점에서 만난다.

② 평행하다.

↳ 한 평면에서 두 직선 l, m이 만나지 않을 때, 두 직선 l, m은 평행하다고 한다. [기호] $l /\!/ m$

③ 일치한다.

↳ 두 직선이 일치하는 경우에는 하나의 직선으로 생각한다.

043
☑8877-0035

오른쪽 그림에 대한 설명으로 옳지 않은 것은?

① 점 A는 직선 l 위에 있다.

② 점 C는 직선 m 위에 있다.

③ 두 직선 l, m의 교점은 점 B이다.

④ 두 점 A, E는 같은 직선 위에 있지 않다.

⑤ 점 D는 두 직선 l, m 중 어느 직선 위에도 있지 않다.

044
☑8877-0036

오른쪽 그림과 같은 직사각형에 대한 설명으로 옳지 않은 것은?

① $\overleftrightarrow{AB} \perp \overleftrightarrow{BC}$

② $\overleftrightarrow{AB} /\!/ \overleftrightarrow{CD}$

③ 점 D는 $\overleftrightarrow{BC}$ 위에 있다.

④ 점 C는 $\overleftrightarrow{BC}$와 $\overleftrightarrow{CD}$의 교점이다.

⑤ $\overleftrightarrow{AB}$와 $\overleftrightarrow{BC}$는 한 점에서 만난다.

045
☑8877-0037

다음 중 평면에서 두 직선의 위치 관계에 대한 설명으로 옳지 않은 것은?

① 평행한 두 직선은 만나지 않는다.

② 서로 다른 두 직선은 만나거나 평행하다.

③ 만나지 않는 서로 다른 두 직선은 평행하다.

④ 한 직선에 수직인 두 직선은 서로 수직이다.

⑤ 한 직선에 평행한 두 직선은 서로 평행하다.

046
☑8877-0038

다음 그림과 같은 정육각형의 각 변을 연장한 직선 중에서 $\overleftrightarrow{BC}$와 한 점에서 만나는 직선을 모두 구하시오.

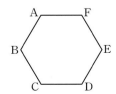

유형 06-12 공간에서 두 직선의 위치 관계

만난다.

① 한 점에서 만난다.   ② 일치한다.   ③ 평행하다.   ④ 꼬인 위치에 있다.

만나지 않는다.

 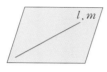  

한 평면 위에 있다.   한 평면 위에 있지 않다.

④와 같이 공간에서 두 직선이 만나지도 않고 평행하지도 않을 때, 두 직선은 꼬인 위치에 있다고 한다.

이때 두 직선은 한 평면 위에 있지 않다.   → 꼬인 위치는 공간에서 두 직선의 위치 관계에서만 존재

에 오른쪽 그림과 같은 직육면체에서 모서리 AD와
 (1) 만나는 모서리 ⇨ 모서리 AB, 모서리 AE, 모서리 DC, 모서리 DH
 (2) 평행한 모서리 ⇨ 모서리 BC, 모서리 EH, 모서리 FG
 (3) 꼬인 위치에 있는 모서리 ⇨ 모서리 BF, 모서리 CG, 모서리 EF, 모서리 HG

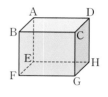

047

☑8877-0039

오른쪽 그림과 같은 직육면체에서 모서리 AB와 꼬인 위치에 있는 모서리를 모두 구하시오.

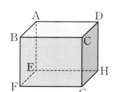

049

☑8877-0041

오른쪽 그림과 같은 삼각기둥에서 모서리 DE와 수직으로 만나는 모서리의 개수는?

① 1개   ② 2개
③ 3개   ④ 4개
⑤ 5개

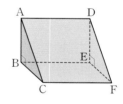

048

☑8877-0040

다음 중 공간에서 서로 다른 두 직선의 위치 관계에 대한 설명으로 옳지 않은 것을 모두 고르면? (정답 2개)

① 평행한 두 직선은 한 평면 위에 있다.
② 꼬인 위치에 있는 두 직선은 만나지 않는다.
③ 서로 만나지 않는 두 직선은 항상 평행하다.
④ 꼬인 위치에 있는 두 직선은 한 평면 위에 있다.
⑤ 한 점에서 만나는 두 직선은 한 평면 위에 있다.

050

☑8877-0042

오른쪽 그림과 같은 사각기둥에 대한 설명으로 옳지 않은 것은?

① $\overline{BC}$와 $\overline{CG}$는 서로 수직이다.
② $\overline{FG}$와 만나는 모서리의 개수는 4개이다.
③ $\overline{AB}$와 평행한 모서리는 3개이다.
④ $\overline{AB}$와 $\overline{CG}$는 꼬인 위치에 있다.
⑤ $\overline{EF}$와 $\overline{AD}$는 한 점에서 만난다.

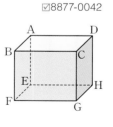

(1) 공간에서 직선과 평면의 위치 관계

① 직선이 평면에 포함된다.

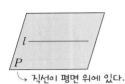

↳ 직선이 평면 위에 있다.

② 한 점에서 만난다.

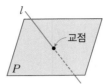

교점

③ 평행하다.

↳ 만나지 않는다. [기호] $l /\!/ P$

참고 평면은 보통 알파벳 대문자 $P, Q, R, \cdots$로 나타낸다.

(2) 직선과 평면의 수직: 직선 l이 평면 P와 한 점 O에서 만나고, 점 O를 지나는 평면 P

위의 모든 직선과 수직일 때 ⇨ 직선 l과 평면 P는 수직이다.

↳ $l \perp P$, 직선 l은 평면 P의 수선

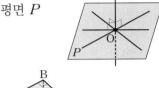

참고 직선 l이 평면 P와 한 점 O에서 만나고 점 O를 지나는 평면 P 위의 2개의 직선과
수직이어도 $l \perp P$이다.

예 오른쪽 그림과 같은 삼각기둥에서

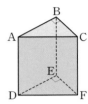

(1) 모서리 BC는 모서리 AB, BE와 수직이므로 면 ADEB와 수직이다.

(2) 모서리 AC는 모서리 AB와 수직이 아니므로 면 ADEB와 수직이 아니다.

051

☑8877-0043

다음 그림과 같은 정육면체에서 색칠한 두 부분의 위치 관계를 보기에서 고르시오.

┤ 보기 ├
ㄱ. 직선이 평면에 포함된다.
ㄴ. 한 점에서 만난다.　　ㄷ. 평행하다.

(1) 　(2) 　(3)

052

☑8877-0044

다음 중 공간에서 한 평면과 한 직선의 위치 관계로 옳지 않은 것은?

① 평행하다.　　　　② 한 점에서 만난다.
③ 수직이다.　　　　④ 꼬인 위치에 있다.
⑤ 직선이 평면에 포함된다.

053

☑8877-0045

오른쪽 그림과 같은 정육면체에 대한 설명으로 옳지 않은 것은?

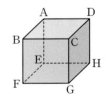

① 면 AEHD와 모서리 BF는 평행하다.
② 면 ABFE와 모서리 FG는 수직이다.
③ 면 ABCD는 모서리 CD를 포함한다.
④ 면 EFGH에 평행한 모서리는 4개이다.
⑤ 면 CGHD에 수직인 모서리는 2개이다.

054

☑8877-0046

오른쪽 그림과 같이 밑면이 정오각형인 오각기둥에서 다음을 구하시오.

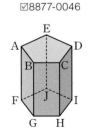

(1) 모서리 AF와 수직인 면

(2) 면 ABCDE와 수직인 모서리

유형 06-14 동위각과 엇각

서로 다른 두 직선이 다른 한 직선과 만나서 생기는 각 중에서

(1) **동위각**: 서로 같은 위치에 있는 각 → 동위각(같을 同, 위치 位, 뿔 角)

　예 ∠a와 ∠e, ∠b와 ∠f, ∠c와 ∠g, ∠d와 ∠h

(2) **엇각**: 서로 엇갈린 위치에 있는 각

　예 ∠b와 ∠h, ∠c와 ∠e → ∠a와 ∠g, ∠d와 ∠f 는 엇각이 아니다.

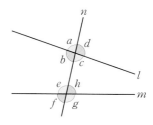

참고 서로 다른 두 직선이 다른 한 직선과 만나면 8개의 각이 생긴다. 이 중 동위각은 4쌍, 엇각은 2쌍이다.

055

☑8877-0047

다음 그림에서 동위각, 엇각을 바르게 짝지은 것은?

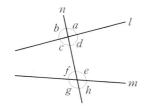

	동위각	엇각
①	∠a와 ∠e	∠d와 ∠g
②	∠b와 ∠g	∠a와 ∠f
③	∠b와 ∠f	∠d와 ∠h
④	∠c와 ∠g	∠b와 ∠e
⑤	∠d와 ∠h	∠d와 ∠f

056

☑8877-0048

다음 그림에서 ∠x의 동위각의 크기를 구하시오.

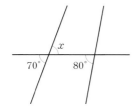

057

☑8877-0049

다음 그림에서 ∠a의 동위각의 크기를 $x°$, ∠e의 엇각의 크기를 $y°$라고 할 때, $y-x$의 값을 구하시오.

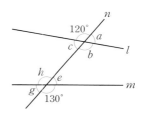

058

☑8877-0050

다음 그림에서 ∠x의 모든 엇각의 크기의 합을 구하시오.

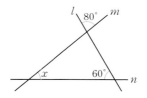

(1) 평행선의 성질

평행한 두 직선이 다른 한 직선과 만날 때

① 동위각의 크기는 서로 같다.

$\Rightarrow l /\!/ m$이면 $\angle a = \angle b$

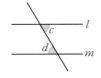

$l /\!/ m$일 때, 동위각의 크기는 같으므로 $\angle x = 63°$

② 엇각의 크기는 서로 같다.

$\Rightarrow l /\!/ m$이면 $\angle c = \angle d$

$l /\!/ m$일 때, 엇각의 크기는 같으므로 $\angle x = 112°$

(2) 두 직선이 평행하기 위한 조건

서로 다른 두 직선 l, m이 다른 한 직선과 만날 때

① 동위각의 크기가 같으면 두 직선 l, m은 평행하다.

$\Rightarrow \angle a = \angle b$이면 $l /\!/ m$

② 엇각의 크기가 같으면 두 직선 l, m은 평행하다.

$\Rightarrow \angle c = \angle d$이면 $l /\!/ m$

주의 맞꼭지각의 크기는 항상 같지만 동위각, 엇각의 크기는 두 직선이 평행할 때만 같다.

예 다음 그림에서 평행한 두 직선을 찾아 기호로 나타내 보자.

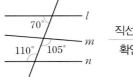

직선 2개씩 확인하기 →

l과 m: 동위각의 크기가 다르므로 평행하지 않다.

m과 n: 엇각의 크기가 다르므로 평행하지 않다.

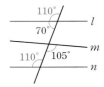

l과 n: 동위각의 크기가 같으므로 $l /\!/ n$

(3) 보조선을 그어 각의 크기 구하기

평행선이 꺾인 선과 만날 때에는 꺾인 점을 지나고 평행선에 평행한 보조선을 그은 후 동위각, 엇각의 크기가 같다는 것을 이용한다.

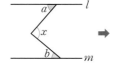

→

$\angle x = \angle a + \angle b$

059

☑8877-0051

오른쪽 그림에서 $l /\!/ m$일 때, $\angle a$의 동위각과 $\angle b$의 엇각의 크기의 합을 구하시오.

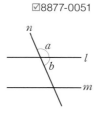

060

☑8877-0052

오른쪽 그림에서 $l /\!/ m$일 때, $\angle x$의 크기를 구하시오.

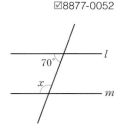

061

☑8877-0053

아래 그림에서 $l /\!/ m$일 때, 다음 중 옳지 <u>않은</u> 것은?

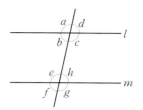

① $\angle b = \angle h$

② $\angle d = \angle h$

③ $\angle a + \angle e = 180°$

④ $\angle c + \angle h = 180°$

⑤ $\angle c + \angle f = 180°$

062

☑8877-0054

오른쪽 그림에서 $l /\!/ m$일 때, $\angle x - \angle y$의 크기를 구하시오.

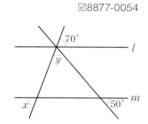

063

☑8877-0055

오른쪽 그림에서 $l /\!/ m$일 때, $\angle x$의 크기는?

① $60°$ ② $65°$

③ $70°$ ④ $75°$

⑤ $80°$

064

☑8877-0056

다음 그림과 같이 직사각형 모양의 종이를 접었을 때, $\angle x$의 크기를 구하시오.

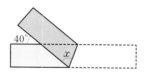

065

☑8877-0057

다음 중 두 직선 l, m이 서로 평행한 것은?

① 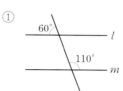   ②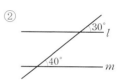

③ 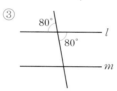   ④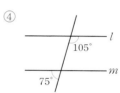

⑤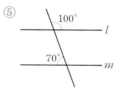

066

☑8877-0058

오른쪽 그림에서 서로 평행한 두 직선을 찾으시오.

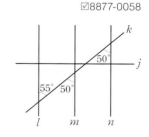

(1) **작도**: 눈금 없는 자와 컴퍼스만을 사용하여 도형을 그리는 것

   ① **눈금 없는 자**: 두 점을 잇는 선분을 그리거나 선분을 연장할 때 사용

   ② **컴퍼스**: 원을 그리거나 선분의 길이를 다른 직선으로 옮길 때 사용

(2) **길이가 같은 선분의 작도**: 선분 AB와 길이가 같은 선분 PQ를 작도하는 방법

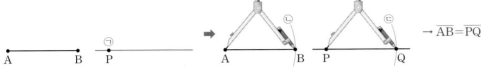

$\rightarrow \overline{AB} = \overline{PQ}$

   ㉠ 자를 사용하여 직선을 그리고, 이 직선 위에 점 P를 잡는다.

   ㉡ 컴퍼스를 사용하여 $\overline{AB}$의 길이를 잰다.

   ㉢ 점 P를 중심으로 하고 반지름의 길이가 $\overline{AB}$인 원을 그려 직선과 만나는 점을 Q라고 하면 $\overline{PQ}$는 $\overline{AB}$와 길이가 같다.

067

☑8877-0059

다음 작도 과정에 필요한 도구를 보기에서 고르시오.

┤ 보기 ├

ㄱ. 눈금 없는 자　　　　ㄴ. 컴퍼스

(1) 두 점을 지나는 직선을 그린다.

(2) 원을 그린다.

(3) 선분의 길이를 옮긴다.

068

다음은 선분 AB와 길이가 같은 선분 PQ를 작도하는 과정이다. □ 안에 알맞은 것을 써넣으시오.

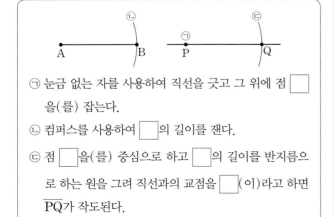

㉠ 눈금 없는 자를 사용하여 직선을 긋고 그 위에 점 □을(를) 잡는다.

㉡ 컴퍼스를 사용하여 □의 길이를 잰다.

㉢ 점 □을(를) 중심으로 하고 □의 길이를 반지름으로 하는 원을 그려 직선과의 교점을 □(이)라고 하면 $\overline{PQ}$가 작도된다.

069

다음 그림과 같이 선분 AB를 점 B의 방향으로 연장하여 길이가 선분 AB의 2배가 되는 선분 AC를 작도할 때, 작도 순서를 바르게 나열하시오.

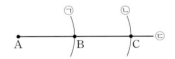

070

☑8877-0060

다음은 선분 AB의 길이를 한 변으로 하는 정삼각형을 작도하는 과정이다. 작도 순서를 바르게 나열하시오.

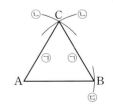

㉠ $\overline{AC}$, $\overline{BC}$를 긋는다.

㉡ 두 점 A, B를 중심으로 하고 $\overline{AB}$의 길이를 반지름으로 하는 원을 각각 그려 두 원의 교점을 C라고 한다.

㉢ $\overline{AB}$의 길이를 잰다.

유형 06-17 크기가 같은 각의 작도

(1) **크기가 같은 각의 작도**: ∠XOY와 크기가 같은 각을 $\overrightarrow{PQ}$를 한 변으로 하여 작도하는 방법

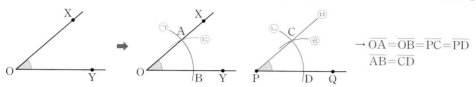

→ $\overline{OA}=\overline{OB}=\overline{PC}=\overline{PD}$
$\overline{AB}=\overline{CD}$

㉠ 점 O를 중심으로 하는 원을 그려 $\overrightarrow{OX}$, $\overrightarrow{OY}$와의 교점을 각각 A, B라고 한다.
㉡ 점 P를 중심으로 하고 반지름의 길이가 $\overline{OA}$인 원을 그려 $\overrightarrow{PQ}$와의 교점을 D라고 한다.
㉢ 컴퍼스로 $\overline{AB}$의 길이를 잰다.
㉣ 점 D를 중심으로 하고 반지름의 길이가 $\overline{AB}$인 원을 그려 ㉡에서 그린 원과의 교점을 C라고 한다.
㉤ $\overrightarrow{PC}$를 그으면 ∠CPD는 ∠XOY와 크기가 같다.

(2) **평행선의 작도**: '서로 다른 두 직선이 다른 한 직선과 만날 때, 동위각(엇각)의 크기가 같으면 두 직선은 서로 평행하다.'는 성질을 이용하여 평행선을 작도할 수 있다.

071

☑8877-0061

다음은 ∠XOY와 크기가 같은 각을 $\overrightarrow{AB}$를 한 변으로 하여 작도하는 과정이다. 작도 순서를 바르게 나열하시오.

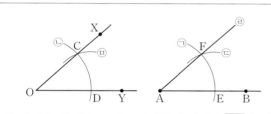

㉠ 점 A를 중심으로 하고 반지름의 길이가 $\overline{OC}$인 원을 그려 $\overrightarrow{AB}$와의 교점을 E라고 한다.
㉡ 점 O를 중심으로 하는 원을 그려 $\overrightarrow{OX}$, $\overrightarrow{OY}$와의 교점을 각각 C, D라고 한다.
㉢ 점 E를 중심으로 하고 반지름의 길이가 $\overline{CD}$인 원을 그려 ㉠에서 그린 원과의 교점을 F라고 한다.
㉣ $\overrightarrow{AF}$를 긋는다.
㉤ 컴퍼스로 $\overline{CD}$의 길이를 잰다.

072

다음 그림은 ∠XOY와 크기가 같고 $\overrightarrow{PQ}$를 한 변으로 하는 각을 작도한 것이다. □ 안에 알맞은 것을 써넣으시오.

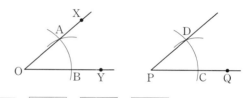

(1) $\overline{OA}=$ ☐ $=$ ☐ $=$ ☐

(2) ∠XOY $=$ ☐

073

☑8877-0062

오른쪽 그림은 직선 l 위에 있지 않은 한 점 P를 지나고 직선 l과 평행한 직선 m을 작도한 것이다. 다음 중 옳지 않은 것은?

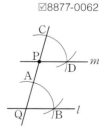

① $\overline{AQ}=\overline{CP}$
② $\overline{AB}=\overline{CD}$
③ $\overline{PD}=\overline{CD}$
④ $\overline{QB}/\!/\overline{PD}$
⑤ ∠AQB $=$ ∠CPD

(1) **삼각형 ABC**

　세 꼭짓점이 A, B, C인 삼각형 [기호] △ABC

(2) **대변과 대각**

　① 대변: 한 각과 마주 보는 변

　② 대각: 한 변과 마주 보는 각

(3) **삼각형의 세 변의 길이 사이의 관계**

　삼각형에서 한 변의 길이는 나머지 두 변의 길이의 합보다 작다.

　⇨ 세 변의 길이가 주어질 때 삼각형이 될 수 있는 조건은

　　(가장 긴 변의 길이) < (나머지 두 변의 길이의 합)

$\overline{\text{BC}}$의 대각 ∠A의 대변

∠B의 대변은 $\overline{\text{AC}}$, ∠C의 대변은 $\overline{\text{AB}}$,
변 AB의 대각은 ∠C, 변 AC의 대각은 ∠B

$$\underset{\substack{\downarrow \\ \text{가장 긴 변의 길이}}}{\overline{\text{AB}}} < \underset{\substack{\downarrow \\ \text{나머지 두 변의 길이의 합}}}{\overline{\text{AC}} + \overline{\text{BC}}}$$

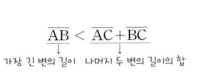

예 세 변의 길이가 다음과 같을 때, 삼각형을 만들 수 있는 것과 만들 수 없는 것을 구분해 보자.

(1) 2, 3, 6 → 6 > 2 + 3 (×)

(2) 3, 5, 8 → 8 = 3 + 5 (×)

(3) 4, 6, 9 → 9 < 4 + 6 (○)

074

아래 그림의 △ABC에서 다음을 구하시오.

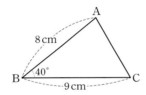

(1) ∠A의 대변의 길이

(2) ∠C의 대변의 길이

(3) 변 AC의 대각의 크기

075

☑8877-0063

다음 중 삼각형의 세 변의 길이가 될 수 있는 것은?

① 2 cm, 2 cm, 4 cm　　② 3 cm, 5 cm, 9 cm

③ 4 cm, 5 cm, 9 cm　　④ 5 cm, 6 cm, 8 cm

⑤ 7 cm, 8 cm, 16 cm

076

☑8877-0064

△ABC에서 $\overline{\text{AB}} = x$, $\overline{\text{BC}} = x+5$, $\overline{\text{CA}} = x+10$일 때, 다음 중 x의 값이 될 수 없는 것은?

① 5　　　　　② 6　　　　　③ 7

④ 8　　　　　⑤ 9

077

☑8877-0065

네 막대의 길이가 다음 보기와 같을 때, 이 중 세 개의 막대를 골라서 만들 수 있는 삼각형의 개수를 구하시오.

┤ 보기 ├

5 cm, 7 cm, 8 cm, 14 cm

078

☑8877-0066

삼각형의 세 변의 길이가 5 cm, 8 cm, x cm일 때, x의 값이 될 수 있는 자연수의 개수를 구하시오.

(1) **삼각형의 작도**: 다음의 세 가지 경우에 각각 삼각형을 하나로 작도할 수 있다. → 길이가 같은 선분의 작도와 크기가 같은 각의 작도를 이용

① 세 변의 길이가 주어질 때

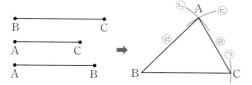

㉠ $\overline{BC}$와 길이가 같은 선분을 작도한다.

㉡, ㉢ 점 B, C를 중심으로 하고 반지름의 길이가 각각 $\overline{AB}$, $\overline{AC}$인 두 원을 그려 그 교점을 A라고 한다.

㉣ $\overline{AB}$, $\overline{AC}$를 그으면 △ABC가 된다.

② 두 변의 길이와 그 끼인각의 크기가 주어질 때

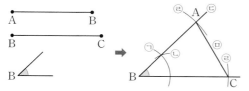

㉠, ㉡, ㉢ ∠B와 크기가 같은 각을 작도한다.

㉣ ∠B의 두 변 위에 각각 $\overline{AB}$, $\overline{BC}$와 길이가 같은 선분을 작도한다.

㉤ $\overline{AC}$를 그으면 △ABC가 된다.

③ 한 변의 길이와 그 양 끝 각의 크기가 주어질 때

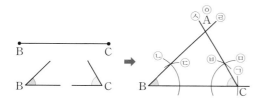

㉠ $\overline{BC}$와 길이가 같은 선분을 작도한다.

㉡, ㉢, ㉣ ∠B와 크기가 같은 각을 작도한다.

㉤, ㉥, ㉦ ∠C와 크기가 같은 각을 작도한다.

㉧ ㉣과 ㉦의 교점을 A라고 하면 △ABC가 된다.

(2) **삼각형이 하나로 정해지는 경우**: 다음의 각 경우에 삼각형이 하나로 정해진다.

① 세 변의 길이가 주어지는 경우 → (가장 긴 변의 길이) < (나머지 두 변의 길이의 합)이어야 한다.

② 두 변의 길이와 그 끼인각의 크기가 주어지는 경우

③ 한 변의 길이와 그 양 끝 각의 크기가 주어지는 경우 → 한 변의 길이와 양 끝 각이 아닌 두 각의 크기가 주어져도 양 끝 각의 크기를 알 수 있으므로 삼각형이 하나로 정해진다.

참고 삼각형이 하나로 정해지지 않는 경우

① (가장 긴 변의 길이) ≥ (나머지 두 변의 길이의 합) → 삼각형이 그려지지 않는다.

② 두 변의 길이와 그 끼인각이 아닌 다른 한 각의 크기가 주어질 때 → 삼각형이 그려지지 않거나 1개 또는 2개로 그려진다.

③ 세 각의 크기가 주어질 때 → 삼각형이 무수히 많이 그려진다.

079

☑8877-0067

다음 중 삼각형이 하나로 정해지는 경우가 <u>아닌</u> 것을 모두 고르면? (정답 2개)

① 세 각의 크기가 주어질 때

② 세 변의 길이가 주어질 때

③ 두 변의 길이와 한 각의 크기가 주어질 때

④ 두 변의 길이와 그 끼인각의 크기가 주어질 때

⑤ 한 변의 길이와 그 양 끝 각의 크기가 주어질 때

080

☑8877-0068

두 변의 길이와 그 끼인각의 크기가 주어진 삼각형을 작도할 때, 이용되는 작도 방법을 모두 고르면? (정답 2개)

① 수선의 작도

② 각의 이등분선의 작도

③ 크기가 같은 각의 작도

④ 길이가 같은 선분의 작도

⑤ 선분의 수직이등분선의 작도

081

☑8877-0069

다음은 세 변의 길이 a, b, c가 주어졌을 때, $\triangle ABC$를 작도하는 과정이다. ☐ 안에 알맞은 것을 써넣으시오.

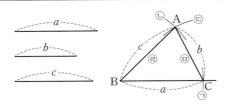

ㄱ 길이가 a인 $\overline{BC}$를 잡는다.

ㄴ, ㄷ 점 B를 중심으로 하고 반지름의 길이가 ☐ 인 원을 그리고, 점 C를 중심으로 하고 반지름의 길이가 ☐ 인 원을 그려 두 원의 교점을 A라고 한다.

ㄹ, ㅁ $\overline{AB}$, $\overline{AC}$를 그어 $\triangle ABC$를 완성한다.

082

☑8877-0070

$\overline{AC}=9$ cm, $\angle C=80°$가 주어졌을 때, $\triangle ABC$를 하나로 작도하기 위하여 필요한 나머지 한 조건으로 알맞은 것을 보기에서 모두 고르시오.

| 보기 |

ㄱ. $\angle A$　　ㄴ. $\angle B$　　ㄷ. $\overline{AB}$　　ㄹ. $\overline{BC}$

083

다음 그림은 두 변의 길이와 그 끼인각의 크기가 주어졌을 때, $\triangle ABC$를 작도하는 과정이다. 가능한 작도 순서를 모두 나열하시오.

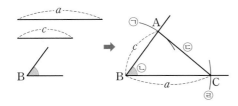

084

☑8877-0071

아래 그림은 한 변의 길이와 그 양 끝 각의 크기가 주어졌을 때, $\triangle ABC$를 작도하는 과정이다. 다음 중 작도 순서를 바르게 나열한 것은?

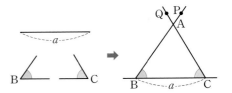

| 보기 |

ㄱ. $\angle B$와 크기가 같은 $\angle CBP$를 작도한다.

ㄴ. $\angle C$와 크기가 같은 $\angle BCQ$를 작도한다.

ㄷ. 길이가 a인 $\overline{BC}$를 잡는다.

ㄹ. $\overline{BP}$와 $\overline{CQ}$의 교점을 A라고 한다.

① ㄱ→ㄴ→ㄹ→ㄷ　　② ㄱ→ㄹ→ㄴ→ㄷ
③ ㄷ→ㄱ→ㄴ→ㄹ　　④ ㄷ→ㄹ→ㄴ→ㄱ
⑤ ㄹ→ㄱ→ㄴ→ㄷ

085

☑8877-0072

다음 보기에서 $\triangle ABC$가 하나로 정해지는 것의 개수를 구하시오.

| 보기 |

ㄱ. $\overline{AB}=5$, $\overline{BC}=11$, $\overline{CA}=13$

ㄴ. $\overline{BC}=5$, $\angle A=70°$, $\angle B=50°$

ㄷ. $\overline{AB}=4$, $\overline{BC}=7$, $\angle C=40°$

ㄹ. $\overline{CA}=5$, $\angle A=30°$, $\angle C=45°$

ㅁ. $\overline{AB}=7$, $\overline{BC}=8$, $\angle B=45°$

(1) 삼각형의 합동

△ABC와 △DEF가 서로 합동이다. ⇨ △ABC≡△DEF → 점의 순서에 맞게 나타낸다.

① 대응하는 변의 길이는 각각 같다.

⇨ $\overline{AB}=\overline{DE}$, $\overline{BC}=\overline{EF}$, $\overline{CA}=\overline{FD}$

② 대응하는 각의 크기는 각각 같다.

⇨ ∠A=∠D, ∠B=∠E, ∠C=∠F

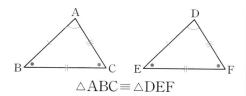

△ABC≡△DEF

예 △ABC≡△DEF일 때

① $\overline{BC}$의 길이 $\xrightarrow{\text{대응하는 변 찾기}}$ $\overline{EF}$ $\xrightarrow[\text{서로 같다.}]{\text{대응하는 변의 길이는}}$ $\overline{BC}=\overline{EF}=5$ cm

② ∠F의 크기 $\xrightarrow{\text{대응하는 각 찾기}}$ ∠C $\xrightarrow[\text{서로 같다.}]{\text{대응하는 각의 크기는}}$ ∠F=∠C=53°

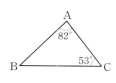
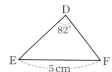

(2) 삼각형의 합동 조건

① 대응하는 세 변의 길이가 각각 같을 때 → SSS 합동

② 대응하는 두 변의 길이가 각각 같고, 그 끼인각의 크기가 같을 때 → SAS 합동

③ 대응하는 한 변의 길이가 같고, 그 양 끝 각의 크기가 각각 같을 때 → ASA 합동

예 ① SSS 합동

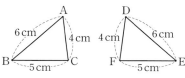

$\overline{AB}=\overline{DE}$, $\overline{BC}=\overline{EF}$, $\overline{CA}=\overline{FD}$에서 대응하는
세 변의 길이가 각각 같으므로 △ABC≡△DEF

② SAS 합동

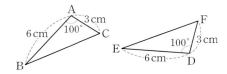

∠A=∠D, $\overline{AB}=\overline{DE}$, $\overline{AC}=\overline{DF}$에서 대응하는
두 변의 길이가 각각 같고 그 끼인각의 크기가 같으므로
△ABC≡△DEF

③ ASA 합동

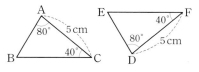

$\overline{AC}=\overline{DF}$, ∠A=∠D, ∠C=∠F에서 대응하는
한 변의 길이가 같고, 그 양 끝 각의 크기가 각각 같으므로
△ABC≡△DEF

086

☑8877-0073

다음 두 삼각형이 합동인 것은 ○표, 합동이 아닌 것은 ×
표를 써넣으시오.

(1) 한 변의 길이가 같은 두 삼각형 ( )

(2) 넓이가 같은 두 정삼각형 ( )

087

☑8877-0074

아래 그림에서 두 삼각형이 서로 합동일 때, 다음 중 옳지
않은 것은?

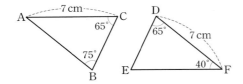

① $\angle E = 75°$

② $\angle B$의 대응각은 $\angle E$이다.

③ $\angle A = \angle F = 40°$

④ $\overline{BC}$의 대응변은 $\overline{ED}$이다.

⑤ 두 삼각형의 합동을 기호로 나타내면
$\triangle ABC \equiv \triangle DEF$이다.

088

☑8877-0075

다음 중 아래 그림의 삼각형 ABC와 삼각형 DFE가 서로
합동이 되기 위해 필요한 나머지 한 조건인 것을 모두 고르
면? (정답 2개)

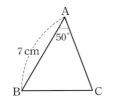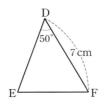

① $\overline{BC} = \overline{EF}$ ② $\overline{AC} = \overline{DE}$ ③ $\angle C = \angle F$

④ $\angle B = \angle E$ ⑤ $\angle B = \angle F$

089

☑8877-0076

다음 보기에서 서로 합동인 삼각형은 모두 몇 쌍인지 구하
시오.

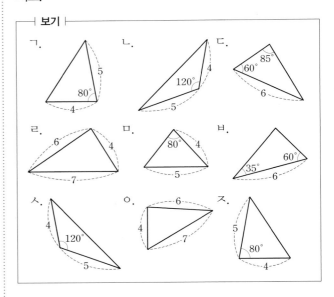

090

☑8877-0077

다음 중 옳지 않은 것은?

①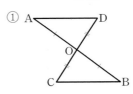
$\triangle AOD \equiv \triangle BOC$

②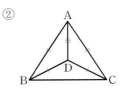
$\triangle ADB \equiv \triangle ADC$

③
$\triangle ABM \equiv \triangle CDM$

④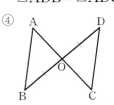
$\triangle AOB \equiv \triangle COD$

⑤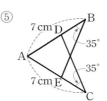
$\triangle ABE \equiv \triangle ACD$

EBS 30일 수학

07

평면도형의 성질

유형 07-1 다각형

(1) **다각형**: 3개 이상의 선분으로만 둘러싸인 평면도 형으로 선분이 3개, 4개, 5개, ⋯, n개인 다각형을 각각 삼각형, 사각형, 오각형, ⋯, n각형이라 한다.

(2) **다각형의 꼭짓점과 변**
  ① 변: 다각형을 이루는 각 선분
  ② 꼭짓점: 변과 변의 교점

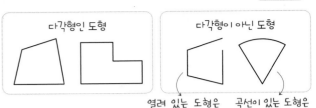

001

☑8877-0078

다음 □ 안에 알맞은 것을 보기에서 찾아 써넣으시오.

┌ 보기 ┐
다각형, 변, 꼭짓점

(1) 다각형을 이루는 선분을 ☐ 이라고 한다.

(2) 3개 이상의 선분으로만 둘러싸인 평면도 형을 ☐ 이라고 한다.

(3) 변과 변의 교점을 ☐ 이라고 한다.

002

☑8877-0079

다음 도형 중 다각형인 도형과 다각형이 아닌 도형을 찾아 기호를 쓰시오.

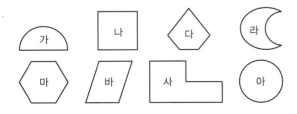

(1) 다각형인 도형

(2) 다각형이 아닌 도형

003

다음 다각형의 이름을 쓰시오.

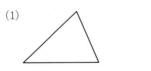

(1)   (2)

004

☑8877-0080

다음 다각형의 변과 꼭짓점의 개수를 각각 구하시오.

(1) 팔각형   (2) 십각형

005

☑8877-0081

오른쪽 그림과 같이 직사각형 위에 7개의 점이 있다. 이때 이 점들을 적당히 연결하여 만들 수 있는 다각형이 아닌 것은?

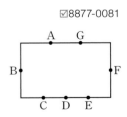

① 삼각형   ② 사각형   ③ 오각형
④ 육각형   ⑤ 칠각형

(1) **등변사다리꼴**

↳ 서로 평행이 아닌 두 변의
길이가 같은 사다리꼴

(2) **직사각형**

↳ 네 각이 모두
직각인 사각형

(3) **마름모**

↳ 네 변의 길이가
모두 같은 사각형

(4) **정사각형**

↳ 네 각과 네 변의
길이가 모두 같은
사각형

006

☑8877-0082

다음 도형을 보고 물음에 답하시오.

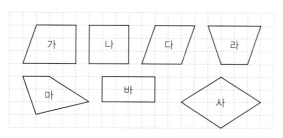

(1) 네 변의 길이가 모두 같고 네 각의 크기가 모두 같은 사각형의 기호를 쓰시오.

(2) 두 대각선이 수직으로 만나는 사각형의 기호를 모두 쓰시오.

(3) 두 대각선의 길이가 같은 사각형의 기호를 모두 쓰시오.

(4) 두 대각선의 길이가 같고 수직으로 만나는 사각형의 기호를 쓰시오.

007

☑8877-0083

오른쪽 직사각형의 대각선의 길이의 합을 구하시오.

008

☑8877-0084

오른쪽 정사각형에 대한 설명으로 옳지 **않은** 것은?

① 변 AB와 변 CD는 서로 평행하다.

② 네 변의 길이가 모두 같다.

③ 선분 BD와 선분 AC는 수직으로 만난다.

④ 선분 BD와 선분 AC의 길이는 서로 다르다.

⑤ 마름모라 할 수 있다.

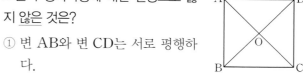

009

☑8877-0085

다음 조건을 만족하는 사각형을 모두 고르면? (정답 2개)

⑦ 한 쌍의 대변이 평행하다.
⑭ 두 대각선의 길이가 같다.

① 등변사다리꼴　　　② 사다리꼴
③ 평행사변형　　　　④ 직사각형
⑤ 마름모

(1) **정다각형**: 모든 변의 길이가 같고, 모든 각의 크기가 같은 다각형
(2) **정다각형의 분류**: 변의 개수가 3개, 4개, ⋯, n개인 정다각형을 각각 정삼각형, 정사각형, ⋯, 정n각형이라 한다.

정삼각형

정사각형

정오각형

정육각형

참고 ① 모든 변의 길이가 같아도 각의 크기가 다르면 정다각형이 아니다.
예 마름모

② 모든 각의 크기가 같아도 변의 길이가 다르면 정다각형이 아니다.
예 직사각형

010

☑8877-0086

다음 중 옳지 <u>않은</u> 것은?

① 변이 10개인 다각형은 십각형이다.
② 정다각형은 변의 길이가 모두 같다.
③ 정다각형은 각의 크기가 모두 같다.
④ 선분으로만 둘러싸인 도형을 다각형이라고 한다.
⑤ 다각형은 각의 크기에 따라 이름이 정해진다.

011

☑8877-0087

다음 정사각형과 정육각형의 모든 변의 길이의 합이 서로 같을 때, 정육각형의 한 변의 길이를 구하시오.

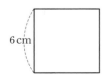

012

☑8877-0088

다음 도형을 보고 물음에 답하시오.

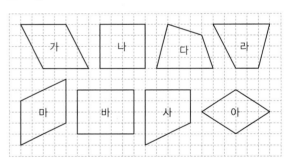

(1) 마주 보는 두 쌍의 변이 서로 평행한 사각형을 모두 고르시오.

(2) 네 변의 길이가 모두 같고 네 각의 크기가 모두 같은 사각형을 고르시오.

013

☑8877-0089

모든 변의 길이의 합이 40 cm인 정오각형의 한 변의 길이를 구하시오.

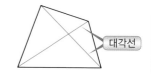

(1) **대각선**: 다각형에서 이웃하지 않는 두 꼭짓점을 이은 선분

(2) **다각형의 한 꼭짓점에서 그을 수 있는 대각선의 개수**

n각형의 한 꼭짓점에서 그을 수 있는 대각선의 개수는 ⇨ $(n-3)$개

한 꼭짓점에서 대각선을 모두 그을 때

	사각형	오각형	육각형	…	n각형
삼각형의 개수	2개	3개	4개	…	$(n-2)$개
대각선의 개수	$4-3=1$(개)	$5-3=2$(개)	$6-3=3$(개)	…	$(n-3)$개
내부의 한 점에서 각 꼭짓점에 선분을 그었을 때 생기는 삼각형의 개수	4개	5개	6개	…	n개

014

한 꼭짓점에서 그을 수 있는 대각선의 개수가 10개인 다각형의 이름을 말하시오.

015

☑8877-0090

오른쪽 다각형을 보고 물음에 답하시오.

(1) 몇 각형인지 말하시오.

(2) 한 꼭짓점에서 그을 수 있는 대각선의 개수를 구하시오.

(3) 한 꼭짓점에서 대각선을 모두 그었을 때 만들어지는 삼각형의 개수를 구하시오.

(4) 내부의 한 점에서 각 꼭짓점에 선분을 그었을 때 생기는 삼각형의 개수를 구하시오.

016

☑8877-0091

어떤 다각형의 한 꼭짓점에서 대각선을 모두 그었을 때 만들어지는 삼각형의 개수는 12개이다. 물음에 답하시오.

(1) 몇 각형인지 말하시오.

(2) 한 꼭짓점에서 그을 수 있는 대각선의 개수를 구하시오.

017

☑8877-0092

다음 중 다각형에 대한 설명으로 옳지 <u>않은</u> 것을 모두 고르면? (정답 2개)

① 삼각형의 한 꼭짓점에서 그을 수 있는 대각선의 개수는 1개이다.

② 다각형에서 이웃하지 않는 두 꼭짓점을 이은 선분을 대각선이라고 한다.

③ 다각형은 변의 개수가 3개 이상이다.

④ n각형의 한 꼭짓점에서 그을 수 있는 대각선의 개수는 $(n-3)$개이다.

⑤ n각형의 한 꼭짓점에서 그을 수 있는 대각선에 의해 나누어지는 삼각형의 개수는 $(n-1)$개이다.

꼭짓점의 개수 ← ┌→ 한 꼭짓점에서 그을 수 있는 대각선의 개수

n각형의 대각선의 개수는 ⇨ $\dfrac{n(n-3)}{2}$ (개)

└→ 한 대각선을 2번씩 중복하여 세었으므로 2로 나눈다.

예 다음 다각형의 대각선의 개수를 구해 보자.

사각형 ($n=4$)

$$\frac{4\times(4-3)}{2}=\frac{4\times1}{2}=2\,(개)$$

오각형 ($n=5$)

$$\frac{5\times(5-3)}{2}=\frac{5\times2}{2}=5\,(개)$$

육각형 ($n=6$)

$$\frac{6\times(6-3)}{2}=\frac{6\times3}{2}=9\,(개)$$

018

☑8877-0093

다음은 칠각형의 대각선의 개수를 구하는 과정이다. ㈎, ㈏, ㈐에 알맞은 수를 구하시오.

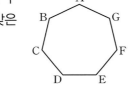

(1) 칠각형의 꼭짓점의 개수는 ㈎ 개이다.

(2) 한 꼭짓점에서 그을 수 있는 대각선의 개수는 ㈏ 개이다.

(3) 칠각형의 대각선의 개수는

$$\frac{㈎ \times ㈏}{2}= ㈐ \,(개)$$

019

꼭짓점의 개수가 8개인 다각형의 대각선의 개수는?

① 6개 ② 9개 ③ 12개
④ 20개 ⑤ 27개

020

☑8877-0094

한 꼭짓점에서 그을 수 있는 대각선의 개수가 7개인 다각형의 대각선의 총 개수를 구하시오.

021

☑8877-0095

이십각형의 한 꼭짓점에서 그을 수 있는 대각선의 개수를 a개, 대각선의 총 개수를 b개라 할 때, $a+b$의 값은?

① 168 ② 187 ③ 198
④ 207 ⑤ 225

022

☑8877-0096

7명이 오른쪽 그림과 같이 원탁에 둘러앉아 있다. 7명이 양 옆에 있는 사람을 제외한 모든 사람과 서로 한 번씩 악수를 할 때, 악수를 모두 몇 번 하게 되는지 구하시오.

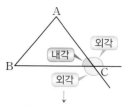

(1) **다각형의 내각**: 다각형에서 이웃한 두 변으로 이루어지는 내부의 각

　예 삼각형 ABC의 내각: ∠A, ∠B, ∠C

(2) **다각형의 외각**: 다각형의 한 내각의 꼭짓점에서 한 변과 그 변에 이웃한 변의 연장선이 이루는 각

(3) **다각형의 내각과 외각 사이의 관계**

　다각형의 한 꼭짓점에서

　(내각의 크기)＋(외각의 크기)＝180°

다각형에서 한 내각에 대한 외각은 2개이지만 서로 맞꼭지각이므로 그 크기는 같다. 따라서 외각은 2개 중에서 하나만 생각한다.

023

오른쪽 그림의 사각형 ABCD에 대하여 알맞은 것을 선택하시오.

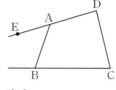

(1) ∠A, ∠B, ∠C, ∠D를 사각형 ABCD의 (내각, 외각)이라 한다.

(2) ∠EAB를 ∠A의 (내각, 외각)이라 한다.

024

☑8877-0097

다음 다각형에서 ∠A의 내각의 크기를 구하시오.

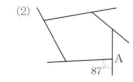

025

☑8877-0098

오른쪽 다각형에서 ∠A의 외각의 크기를 구하시오.

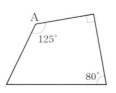

026

☑8877-0099

오른쪽 그림에서 ∠x＋∠y의 크기를 구하시오.

027

☑8877-0100

오른쪽 그림의 오각형 ABCDE에서 다음을 구하시오.

(1) ∠C의 외각의 크기

(2) ∠AED의 크기

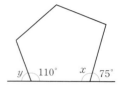
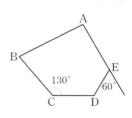

028

☑8877-0101

오른쪽 그림에서 ∠x＋∠y의 크기를 구하시오.

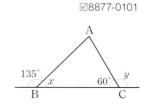

(1) **삼각형 ABC의 세 내각의 크기의 합:** $\angle A + \angle B + \angle C = 180°$

오른쪽 그림과 같이 $\triangle ABC$에서 꼭짓점 A를 지나고
변 BC에 평행한 직선 PQ를 그으면
$\angle B = \angle PAB$(엇각), $\angle C = \angle QAC$(엇각)이므로
$\angle A + \angle B + \angle C = \angle A + \angle PAB + \angle QAC$
$\qquad\qquad\qquad\qquad\quad = \angle PAQ = 180°$(평각)

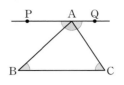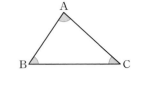

(2) $\triangle ABC$에서 $\angle A : \angle B : \angle C = a : b : c$이면
$$\angle A = 180° \times \frac{a}{a+b+c}, \quad \angle B = 180° \times \frac{b}{a+b+c}, \quad \angle C = 180° \times \frac{c}{a+b+c}$$

029
☑8877-0102

다음 그림과 같이 삼각형을 잘라서 세 꼭짓점이 한 점에 모이도록 겹치지 않게 이어 붙였다. $\angle x$의 크기를 구하시오.

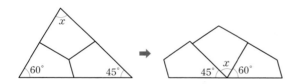

030

오른쪽 그림에서 $\angle x + \angle y$의 크기를 구하시오.

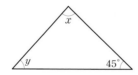

031
☑8877-0103

다음 그림에서 $\angle x$의 크기를 구하시오.

(1)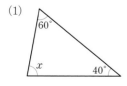

(2)

032
☑8877-0104

다음 그림에서 $\angle x$의 크기를 구하시오.

033
☑8877-0105

오른쪽 그림에서 $\angle x$의 크기를 구하시오.

034
☑8877-0106

삼각형 ABC에서 $\angle A : \angle B : \angle C = 3 : 4 : 5$일 때, 세 내각의 크기를 각각 구하시오.

(삼각형의 한 외각의 크기)=(그와 이웃하지 않는 두 내각의 크기의 합)

∠A+∠B+∠C=180°, ∠C+∠ACD=180°이므로

∠ACD=∠A+∠B

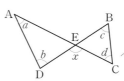

예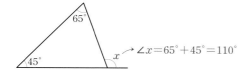

∠x=65°+45°=110°

△ADE와 △BEC에서

∠x는 공통인 외각이므로

∠a+∠b=∠x=∠c+∠d

035
☑8877-0107

오른쪽 그림에서 ∠x+∠y의 크기를 구하시오.

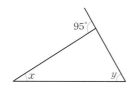

036
☑8877-0108

다음 그림에서 ∠x의 크기를 구하시오.

(1)

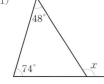

(2)

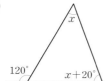

037
☑8877-0109

다음 그림에서 ∠x의 크기를 구하시오.

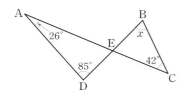

038
☑8877-0110

다음 그림에서 ∠x의 크기를 구하시오.

(1)

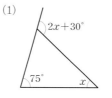

(2)

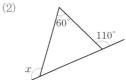

039
☑8877-0111

오른쪽 그림에서 ∠x+∠y의 크기를 구하시오.

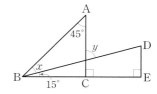

040
☑8877-0112

오른쪽 그림에서 ∠x+∠y의 크기를 구하시오.

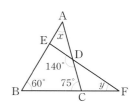

(1) **삼각형의 한 내각의 이등분선**

△ABC에서 $\overline{AD}$가 ∠A의 이등분선일 때

① △ABD에서 ∠b=∠a+∠x

② △ADC에서 ∠c=∠b+∠x

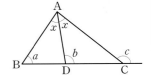

(2) **삼각형의 두 내각의 이등분선이 이루는 각**: $\angle x = 90° + \dfrac{1}{2}\angle A$

△ABC에서 2●+2▲+∠A=180°이므로 ●+▲=$90°-\dfrac{1}{2}\angle A$ ······ ①

△IBC에서 ●+▲+∠x=180°이므로 ●+▲=180°-∠x ······ ②

①, ②에 의해 ●+▲=$90°-\dfrac{1}{2}\angle A$=180°-∠x

따라서 ∠x=$90°+\dfrac{1}{2}\angle A$

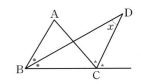

(3) **삼각형의 한 내각과 한 외각의 이등분선이 이루는 각**: $\angle x = \dfrac{1}{2}\angle A$

△ABC에서 2▲=∠A+2●이므로 ▲=$\dfrac{1}{2}\angle A$+● ······ ①

△DBC에서 ▲=∠x+● ······ ②

①, ②에 의해 ▲=∠x+●=$\dfrac{1}{2}\angle A$+●

따라서 ∠x=$\dfrac{1}{2}\angle A$

---

041 ☑8877-0113

오른쪽 그림에서
∠ABD=∠CBD일 때, ∠x의
크기를 구하시오.

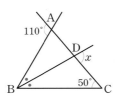

042 ☑8877-0114

오른쪽 그림의 △ABC에서
∠BAD=∠DAC일 때, ∠x의 크
기를 구하시오.

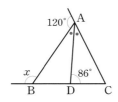

043 ☑8877-0115

오른쪽 그림의 △ABC에
서 점 I는 ∠B와 ∠C의 이
등분선의 교점이다.
∠I=140°일 때, ∠x의 크
기를 구하시오.

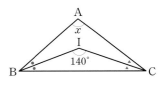

044 ☑8877-0116

오른쪽 그림의 △ABC에서
점 D는 ∠B의 이등분선과
∠C의 외각의 이등분선의
교점이다. ∠A=74°일 때,
∠x의 크기를 구하시오.

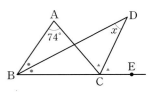

(1) **이등변삼각형의 성질 활용하기**

이등변삼각형의 두 밑각의 크기는 같으므로 내각과 외각 사이에
오른쪽 도형에서와 같은 관계가 성립한다.

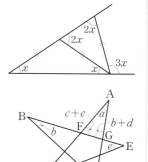

(2) **별 모양 도형에서 각의 크기:** $\angle a + \angle b + \angle c + \angle d + \angle e = 180°$

$\triangle$FCE에서 외각의 성질에 의해 $\angle$AFG$=\angle c + \angle e$

$\triangle$BDG에서 외각의 성질에 의해 $\angle$AGF$=\angle b + \angle d$

따라서 $\triangle$AFG에서

$\angle$A$+\angle$F$+\angle$G$=\angle a + \angle b + \angle c + \angle d + \angle e = 180°$

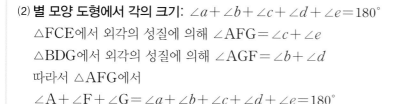

045
☑8877-0117

오른쪽 그림에서
$\angle$B$=32°$이고,
$\overline{AB}=\overline{AC}=\overline{CD}$일 때,
$\angle x$의 크기를 구하시오.

046
☑8877-0118

오른쪽 그림에서
$\overline{AB}=\overline{AC}=\overline{CD}$이고,
$\angle$DCF$=126°$일 때,
$\angle x$의 크기를 구하시오.

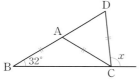

047
☑8877-0119

오른쪽 그림에서
$\overline{AD}=\overline{AC}=\overline{BC}$이고, $\overline{DB}=\overline{DC}$
일 때, $\angle x$의 크기를 구하시오.

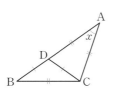

048
☑8877-0120

오른쪽 그림에서 $\angle x$의 크기를
구하시오.

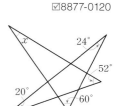

049
☑8877-0121

오른쪽 그림에서 $\angle x$의 크기와
같은 것은?

① $\angle a + \angle b + \angle c$

② $\angle b + \angle c + \angle e$

③ $\angle c + \angle d + \angle e$

④ $\angle a + \angle c + \angle e$

⑤ $\angle b + \angle c + \angle d$

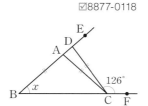

050
☑8877-0122

오른쪽 그림에서 $\angle x + \angle y$의 크기
를 구하시오.

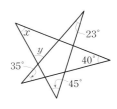

n각형의 내각의 크기의 합 ⇨ $180° \times (n-2)$

예 육각형의 내각의 크기의 합 구하기

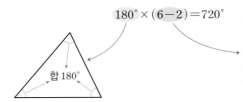

$180° \times (6-2) = 720°$

합 $180°$

육각형의 한 꼭짓점에서 대각선을 모두 그을 때 생기는 삼각형의 개수는 4개이다.

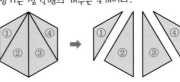

다각형	사각형	오각형	육각형	⋯	n각형
한 꼭짓점에서 대각선을 모두 그어 만들 수 있는 삼각형의 개수	2개	3개	4개	⋯	$(n-2)$개
내각의 크기의 합	$180° \times 2 = 360°$	$180° \times 3 = 540°$	$180° \times 4 = 720°$	⋯	$180° \times (n-2)$

051

다음 다각형의 내각의 크기의 합을 구하시오.

(1) 팔각형   (2) 십이각형

052

☑8877-0123

다음 그림에서 $\angle x$의 크기를 구하시오.

(1)

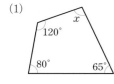

(2)

053

☑8877-0124

오른쪽 그림에서 $\angle a + \angle b$의 크기를 구하시오.

054

☑8877-0125

내각의 크기의 합이 1440°인 다각형은?

① 팔각형   ② 구각형   ③ 십각형

④ 십일각형   ⑤ 십이각형

055

☑8877-0126

오른쪽 그림에서 $\angle x$의 크기는?

① 85°   ② 90°

③ 95°   ④ 100°

⑤ 103°

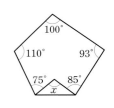

056

☑8877-0127

오른쪽 그림에서 $\angle C$, $\angle D$의 이등분선의 교점을 E라 할 때, $\angle x$의 크기를 구하시오.

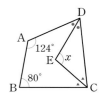

유형 07-12 다각형의 외각의 크기의 합

n각형의 외각의 크기의 합 ⇨ 항상 $360°$

n각형의 각 꼭짓점에서 내각과 외각의 크기의 합은 $180°$이므로
(n각형의 내각의 크기의 합)+(n각형의 외각의 크기의 합)$=180°×n$
따라서
(n각형의 외각의 크기의 합)$=180°×n-(n$각형의 내각의 크기의 합)
$=180°×n-180°×(n-2)$
$=360°$

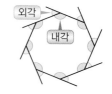

예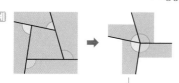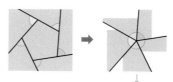

사각형의 외각의 크기의 합은 $360°$ 오각형의 외각의 크기의 합은 $360°$

057
☑8877-0128

오른쪽 그림의 오각형에서 $∠B=120°$일 때, $∠B$의 외각의 크기는?

① $50°$ ② $55°$
③ $60°$ ④ $70°$
⑤ $75°$

058
☑8877-0129

오른쪽 그림에서 $∠x$의 크기는?

① $80°$ ② $85°$
③ $90°$ ④ $94°$
⑤ $98°$

059
☑8877-0130

오른쪽 그림에서 $∠x$의 크기를 구하시오.

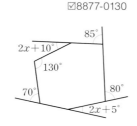

060
☑8877-0131

오른쪽 다각형에서 꼭짓점 B에 대한 내각의 크기와 외각의 크기의 비가 $7:2$일 때, $∠x$의 크기는?

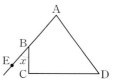

① $25°$ ② $30°$
③ $35°$ ④ $40°$
⑤ $45°$

061
☑8877-0132

다음 설명 중 옳지 않은 것을 모두 고르면? (정답 2개)

① 삼각형의 내각의 크기의 합은 $180°$이다.
② 내각의 크기의 합이 $900°$인 다각형은 칠각형이다.
③ n각형의 한 꼭짓점에서 대각선을 그으면 $(n-3)$개의 삼각형이 만들어진다.
④ 삼각형의 한 외각의 크기는 그와 이웃하지 않는 두 내각의 크기의 합과 같다.
⑤ 다각형의 외각의 크기의 합은 $180°×n$이다.

07 평면도형의 성질 • 43

(1) **정다각형의 한 내각의 크기**

정n각형의 한 내각의 크기는 ⇨ $\dfrac{180° \times (n-2)}{n}$ → 정n각형의 내각의 크기의 합
                          → 정n각형의 꼭짓점의 개수

예 정십각형의 한 내각의 크기: $n=10$일 때이므로 $\dfrac{180° \times (10-2)}{10} = 144°$

(2) **정다각형의 한 외각의 크기**

정n각형의 한 외각의 크기는 ⇨ $\dfrac{360°}{n}$ → 정n각형의 외각의 크기의 합
                   → 정n각형의 꼭짓점의 개수

예 정팔각형의 한 외각의 크기를 구하면 $n=8$일 때이므로 $\dfrac{360°}{8} = 45°$

062

다음 정다각형의 한 내각의 크기를 구하시오.

(1) 정십각형   (2) 정십이각형

063

☑8877-0133

한 내각과 한 외각의 크기의 비가 3 : 1인 정다각형을 구하시오.

064

☑8877-0134

다음 그림과 같은 정육각형 ABCDEF에서 두 변 AF, BC의 연장선이 만나는 점을 P라고 할 때, $\angle x$의 크기를 구하시오.

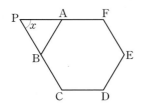

065

다음 정다각형의 한 외각의 크기를 구하시오.

(1) 정육각형   (2) 정십팔각형

066

☑8877-0135

한 외각의 크기가 $40°$인 정다각형의 내각의 크기의 합을 구하시오.

067

☑8877-0136

다음 보기 중 정십오각형에 대한 설명으로 옳은 것을 모두 고르시오.

┤ 보기 ├

ㄱ. 내각의 크기의 합은 $2340°$이다.

ㄴ. 한 내각의 크기는 $160°$이다.

ㄷ. 한 꼭짓점에서 대각선을 그어 만들어지는 삼각형은 13개이다.

ㄹ. 한 외각의 크기는 $22°$이다.

① 원 O: 평면 위의 한 점 O로부터 일정한 거리에 있는 점들로 이루어진 도형
② 호 AB: 원 O 위의 두 점 A, B를 끝점으로 하는 원의 일부분을 호 AB라 하고 $\overparen{AB}$로 나타낸다.
③ 현 AB: 원 O 위의 두 점 A, B를 이은 선분을 현 AB라 하고 $\overline{AB}$로 나타낸다.→ 지름은 가장 긴 현이다.
④ 부채꼴 AOB: 원 O의 두 반지름 OA, OB와 호 AB로 이루어진 도형
⑤ 중심각: 두 반지름 OA, OB가 이루는 ∠AOB를 부채꼴 AOB의 중심각 또는 호 AB에 대한 중심각이라 한다.
⑥ 활꼴: 현 CD와 호 CD로 이루어진 도형 → 반원은 활꼴이면서 부채꼴이다.

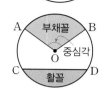

068

☑8877-0137

다음 보기에서 용어의 뜻에 알맞은 것을 고르시오.

┤ 보기 ├

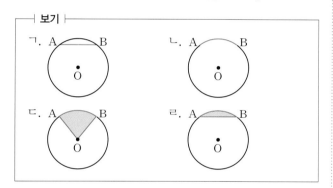

(1) 호 AB
(2) 현 AB
(3) 부채꼴 AOB
(4) 호 AB와 현 AB로 이루어진 활꼴

069

☑8877-0138

다음 보기에서 원에 대한 설명으로 옳은 것의 개수를 구하시오.

┤ 보기 ├

ㄱ. 부채꼴은 원의 반지름과 호로 둘러싸여 있다.
ㄴ. 활꼴은 호와 현으로 이루어진 활 모양의 도형이다.
ㄷ. 중심각은 부채꼴에서 두 반지름이 이루는 각이다.
ㄹ. 중심각의 크기가 90°인 부채꼴은 반원이다.
ㅁ. 반원은 활꼴이면서 동시에 부채꼴이다.

070

☑8877-0139

다음 보기에서 오른쪽 그림과 같은 원 O에 대한 설명으로 옳지 않은 것을 모두 고르시오.
(단, $\overline{AC}$는 원의 지름이다.)

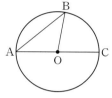

┤ 보기 ├

ㄱ. ∠AOB는 부채꼴 AOB의 중심각이다.
ㄴ. 부채꼴 AOC의 중심각의 크기는 180°이다.
ㄷ. $\overline{OA}=\overline{OB}=\overline{OC}$
ㄹ. $\overparen{AB}$와 $\overline{AB}$로 둘러싸인 도형은 활꼴이다.
ㅁ. 원 위의 두 점 B와 C를 양 끝으로 하는 호는 1개이다.
ㅂ. $\overparen{BC}$와 반지름 OB, OC로 이루어진 도형은 부채꼴이다.

071

☑8877-0140

한 원에서 부채꼴과 활꼴이 같을 경우 부채꼴의 중심각의 크기를 구하시오.

(1) 부채꼴의 성질

한 원 또는 합동인 두 원에서

① 중심각의 크기가 같은 두 부채꼴의 호의 길이와 현의 길이는 각각 같다.

⇨ $\angle \text{AOB} = \angle \text{COD}$이면 $\overset{\frown}{\text{AB}} = \overset{\frown}{\text{CD}}$, $\overline{\text{AB}} = \overline{\text{CD}}$

② 중심각의 크기가 같은 두 부채꼴의 넓이는 같다.

⇨ $\angle \text{AOB} = \angle \text{COD}$이면 (부채꼴 AOB의 넓이)=(부채꼴 COD의 넓이)

③ 현의 길이가 같거나 호의 길이가 같으면 중심각의 크기는 같다.

⇨ $\overline{\text{AB}} = \overline{\text{CD}}$이면 $\angle \text{AOB} = \angle \text{COD}$

$\overset{\frown}{\text{AB}} = \overset{\frown}{\text{CD}}$이면 $\angle \text{AOB} = \angle \text{COD}$

④ 호의 길이와 부채꼴의 넓이는 중심각의 크기에 정비례한다.

그러나 현의 길이는 중심각의 크기에 정비례하지 않는다.

↘ 두 반지름과 현으로 이루어진
삼각형의 넓이도 정비례하지 않는다.

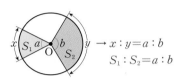

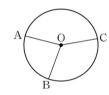

$\rightarrow x : y = a : b$
$S_1 : S_2 = a : b$

(2) 호의 길이의 비와 중심각의 크기

오른쪽 그림에서 $\overset{\frown}{\text{AB}} : \overset{\frown}{\text{BC}} : \overset{\frown}{\text{AC}} = a : b : c$라 할 때

$\angle \text{AOB} : \angle \text{BOC} : \angle \text{AOC} = a : b : c$

따라서 $\angle \text{AOB} = 360° \times \dfrac{a}{a+b+c}$, $\angle \text{BOC} = 360° \times \dfrac{b}{a+b+c}$

$\angle \text{AOC} = 360° \times \dfrac{c}{a+b+c}$

072

☑8877-0141

다음 그림에서 x의 값을 구하시오.

(1)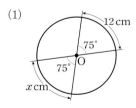

(2)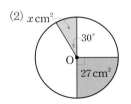

(3)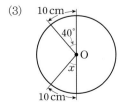

(4)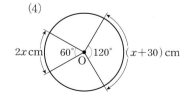

073

☑8877-0142

다음 그림에서 x, y의 값을 각각 구하시오.

(1)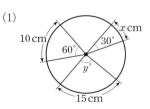

(2)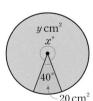

074

☑8877-0143

오른쪽 그림에서 $\overline{\text{AC}}$가 원 O의 지름일 때, 다음 중 옳지 <u>않은</u> 것을 모두 고르면? (정답 2개)

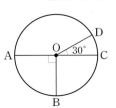

① $\overset{\frown}{\text{AB}} = \overset{\frown}{\text{BC}}$ ② $\overline{\text{AB}} = 3\overline{\text{CD}}$

③ $\overline{\text{AD}} = \overline{\text{BD}}$ ④ $\overset{\frown}{\text{BC}} = 3\overset{\frown}{\text{CD}}$

⑤ $\overset{\frown}{\text{AD}} = 5\overset{\frown}{\text{CD}}$

075

☑8877-0144

오른쪽 그림의 원 O에서
$\overset{\frown}{AB} : \overset{\frown}{BC} : \overset{\frown}{AC} = 2 : 3 : 4$
일 때, ∠AOB의 크기를 구하시오.

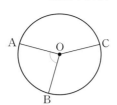

076

오른쪽 그림과 같은 원 O에서 $\overset{\frown}{BC}$의
길이가 $\overset{\frown}{AB}$의 길이의 3배일 때, $\overset{\frown}{BC}$
에 대한 중심각의 크기를 구하시오.

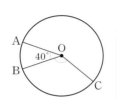

077

☑8877-0145

오른쪽 그림에서 $\overline{AB}$는 원 O의 지
름이고 $\overset{\frown}{AC}$의 길이는 원의 둘레의
길이의 $\frac{1}{6}$이다. 반원 AOB의 넓이
가 21π cm^{2}일 때, 부채꼴 BOC의
넓이를 구하시오.

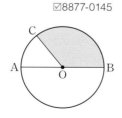

078

☑8877-0146

오른쪽 그림의 원 O에서 반지
름의 길이가 6 cm, $\overset{\frown}{AC} = \overset{\frown}{AB}$,
$\overline{AB} = 10$ cm일 때, 색칠한 부분
의 둘레의 길이를 구하시오.

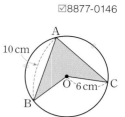

079

☑8877-0147

오른쪽 그림의 원 O에서
$2\angle AOB = \angle COD$일 때, 다음 중
옳은 것을 모두 고르면? (정답 2개)

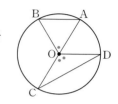

① $\overline{CD} = 2\overline{AB}$

② $\overset{\frown}{CD} = 2\overset{\frown}{AB}$

③ $\overset{\frown}{AB} = \overset{\frown}{AD}$

④ △OCD = 2△OAB

⑤ (부채꼴 OCD의 넓이) = 2 × (부채꼴 OAB의 넓이)

080

☑8877-0148

오른쪽 그림의 부채꼴 OAB에 대하
여 다음 중 옳지 않은 것을 모두 고
르면? (정답 2개)

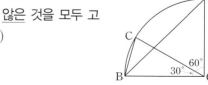

① $\frac{1}{3}\overset{\frown}{AB} = \overset{\frown}{BC}$

② $\overset{\frown}{AB} = 3\overset{\frown}{BC}$

③ $3\angle COB = \angle AOB$

④ $\overset{\frown}{BC} : \overset{\frown}{AC} = 1 : 2$

⑤ (△AOB의 넓이) = 3 × (△BOC의 넓이)

(1) **이등변삼각형과 엇각의 성질 활용하기**

원 O에서 $\overline{AB} /\!/ \overline{CD}$일 때,

① $\triangle OBA$에서 $\overline{OA}=\overline{OB}$이므로 두 밑각의 크기는 같다.$(\angle OAB=\angle OBA)$

② $\angle AOC=\angle OAB$(엇각), $\angle BOD=\angle OBA$(엇각)

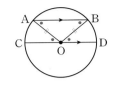

(2) **보조선 활용하기**

오른쪽 반원 O에서 $\overline{AB} /\!/ \overline{OC}$, $\angle DOC=\angle x$일 때,

$\overline{OB}$를 그으면

$\angle OAB=\angle DOC=\angle x$ (동위각),

$\triangle OAB$에서 $\overline{OA}=\overline{OB}$이므로

$\angle OBA=\angle OAB=\angle x$, $\angle COB=\angle OBA=\angle x$ (엇각), $\angle AOB=180°-2\angle x$

따라서 $\overparen{CD} : \overparen{AB} = \angle x : (180°-2\angle x)$

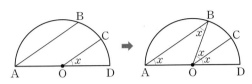

081
☑8877-0149

오른쪽 그림의 원 O에서 $\overline{AB} /\!/ \overline{CD}$이고 $\angle AOB=120°$, $\overparen{AC}=8$ cm일 때, $\overparen{AB}$의 길이를 구하시오.

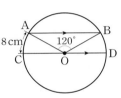

082
☑8877-0150

오른쪽 그림에서 $\overline{AB} /\!/ \overline{OC}$일 때, $\overparen{AB} : \overparen{BC}$를 가장 간단한 정수의 비로 나타내시오.

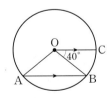

083
☑8877-0151

오른쪽 그림에서 $\overline{AC} /\!/ \overline{OD}$이고 $\overline{AB}$는 원 O의 지름이다. $\angle DOB=45°$, $\overparen{BD}=15$ cm일 때, $\overparen{AC}$의 길이를 구하시오.

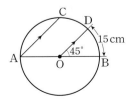

084
☑8877-0152

오른쪽 그림에서 $\overline{AB}$는 원 O의 지름이고, $\overline{AC} /\!/ \overline{OD}$일 때, 다음 중 옳지 <u>않은</u> 것은?

① $\angle CAO=\angle DOB$

② $\angle ACO=\angle COD$

③ $\overparen{CD}=\overparen{BD}$

④ $\overline{CD}=\overline{BD}$

⑤ $\overparen{BD} : \overparen{AC} = \angle DOB : (180°-3\angle DOB)$

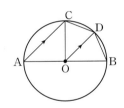

085
☑8877-0153

오른쪽 그림과 같은 반원 O에서 $\overline{AB} /\!/ \overline{OC}$이고, $\overparen{AB} : \overparen{BD}=5 : 4$일 때, $\angle COD$의 크기를 구하시오.

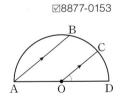

086
☑8877-0154

오른쪽 그림에서 $\overline{AE} /\!/ \overline{CD}$, $\angle DOB=30°$이고, $\overparen{AC}=\overparen{ED}=7$ cm일 때, $\overparen{AE}$의 길이를 구하시오.

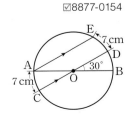

반지름의 길이가 r인 원의 둘레의 길이를 l, 넓이를 S라 할 때
$\Rightarrow l=2\pi r$, $S=\pi r^2$

예 반지름의 길이가 4 cm인 원의 둘레의 길이 l과 넓이 S를 각각 구하면
$l=2\pi \times 4=8\pi$ (cm), $S=\pi \times 4^2=16\pi$ (cm²)

087
☑8877-0155

반지름의 길이가 5 cm인 원의 둘레의 길이 l과 넓이 S를 각각 구하시오.

088
☑8877-0156

다음 그림의 원 O_2의 둘레의 길이가 원 O_1의 둘레의 길이의 2배일 때, 원 O_1과 원 O_2의 넓이를 각각 구하시오.

089
☑8877-0157

오른쪽 그림과 같이 성우의 자전거 바퀴는 반지름의 길이가 30 cm이다. 이 자전거의 바퀴가 25번 굴러간 거리는 몇 m인지 구하시오.

(단, 100 cm$=$1 m)

090
☑8877-0158

오른쪽 그림에서 색칠한 부분의 둘레의 길이와 넓이를 각각 구하시오.

091
☑8877-0159

오른쪽 그림에서 색칠한 부분의 둘레의 길이와 넓이를 각각 구하시오.

092
☑8877-0160

다음 그림에서 원 모양의 큰 바퀴의 둘레의 길이는 40π cm이고, 큰 바퀴의 지름의 길이는 원 모양의 작은 바퀴의 지름의 길이의 4배이다. 작은 바퀴의 둘레의 길이를 구하시오.

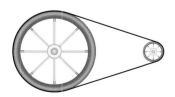

반지름의 길이가 r이고 중심각의 크기가 $a°$인 부채꼴에서 호의 길이를 l, 넓이를 S라 하면

① $l = 2\pi r \times \dfrac{a}{360}$

② $S = \pi r^2 \times \dfrac{a}{360} = \dfrac{1}{2} rl$

└ 중심각의 크기가 주어지지 않은 부채꼴의 넓이를 구할 때 사용한다.

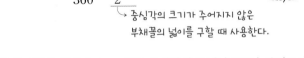

부채꼴을 아래 그림처럼 잘게 잘라서 직사각형 모양으로 엇갈려 붙이면 부채꼴의 넓이 S는

$S = (가로의 길이) \times (세로의 길이)$

$= \dfrac{1}{2} l \times r = \dfrac{1}{2} rl$

예 반지름의 길이가 4 cm이고 중심각의 크기가 30°인 부채꼴의 호의 길이 l과 넓이 S를 각각 구하면

$l = 2\pi \times 4 \times \dfrac{30}{360} = \dfrac{2}{3}\pi \ (\text{cm})$

$S = \pi \times 4^2 \times \dfrac{30}{360} = \dfrac{4}{3}\pi \ (\text{cm}^2)$

093
☑8877-0161

다음 부채꼴의 넓이를 구하시오.

(1)
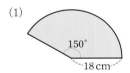

(2)
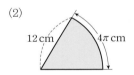

094
☑8877-0162

다음 부채꼴에서 x, y의 값을 구하시오.

(1)
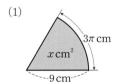

(2)
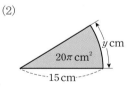

095
☑8877-0163

오른쪽 그림과 같은 부채꼴의 둘레의 길이와 넓이를 각각 구하시오.

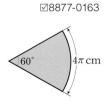

096
☑8877-0164

채림이와 동호는 각각 반지름의 길이가 14 cm, 18 cm인 원 모양의 피자를 만든 후 다음과 같이 잘라서 한 조각씩 먹으려 한다. 누가 얼마나 더 많이 먹게 되는지 구하시오.

(단, 피자의 두께는 무시한다.)

 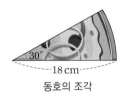

채림이의 조각　　　　동호의 조각

097
☑8877-0165

채원이는 방학 중 사용한 용돈 9만 원의 사용 내역을 오른쪽 그림과 같이 원그래프로 나타내었다. 저축한 돈과 간식비의 비가 3 : 4 일 때, 저축한 금액은 얼마인지 구하시오.

(1) 색칠한 부분의 넓이:

→ 큰 도형의 넓이에서 작은 도형의 넓이를 뺀다.

색칠한 부분의 둘레의 길이: ①+②+③+④=①+③+(②×2)

(2) 색칠한 부분의 넓이:

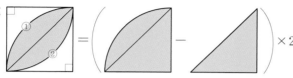

색칠한 부분의 둘레의 길이: ①+②=①×2

098

☑8877-0166

다음 그림에서 색칠한 부분의 넓이를 구하시오.

(1)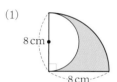

(2)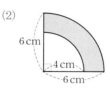

099

☑8877-0167

오른쪽 그림의 정사각형에서 색칠한 부분의 둘레의 길이와 넓이를 각각 구하시오.

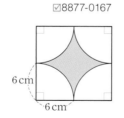

100

☑8877-0168

오른쪽 그림과 같은 반원에서 색칠한 부분의 둘레의 길이와 넓이를 각각 구하시오.

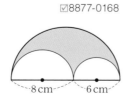

101

☑8877-0169

다음 그림에서 색칠한 부분의 둘레의 길이와 넓이를 각각 구하시오.

(1)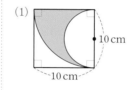

(2)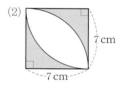

102

☑8877-0170

오른쪽 그림에서 색칠한 부분의 둘레의 길이와 넓이를 각각 x cm, y cm^{2}라 할 때, $2x-y$의 값을 구하시오.

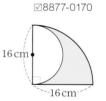

103

☑8877-0171

오른쪽 그림에서 색칠한 부분의 둘레의 길이와 넓이를 각각 x cm, y cm^{2}라 할 때, $6y-3x$의 값을 구하시오.

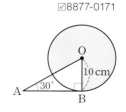

(1) 색칠한 부분의 넓이:

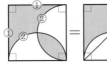 = = → 잘라서 이동하거나 합쳐서 간단한 도형으로 만든다.

색칠한 부분의 둘레의 길이: $(① \times 2) + (② \times 2)$

(2) 색칠한 부분의 넓이:

 =  −

색칠한 부분의 둘레의 길이: $① + ② + ③$

104

☑8877-0172

오른쪽 그림은 한 변의 길이가 8 cm인 정사각형의 내부에 정사각형의 한 변을 지름으로 하는 두 개의 반원을 그린 것이다. 색칠한 부분의 넓이를 $x \, \mathrm{cm}^2$, 둘레의 길이를 $y \, \mathrm{cm}$라 할 때, $2y - x$의 값을 구하시오.

105

☑8877-0173

오른쪽 그림에서 색칠한 부분의 둘레의 길이를 구하시오.

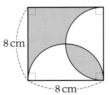

106

☑8877-0174

한 변의 길이가 5 cm인 정사각형 모양의 타일을 붙여서 오른쪽 그림과 같은 꽃 모양을 만든다고 할 때, 색칠한 부분의 넓이를 구하시오.

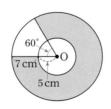

107

☑8877-0175

오른쪽 그림은 직각삼각형 ABC의 세 변을 지름으로 하는 반원을 그린 것이다. 색칠한 부분의 넓이를 $x \, \mathrm{cm}^2$, 둘레의 길이를 $y \, \mathrm{cm}$라 할 때, $x + 2y$의 값을 구하시오.

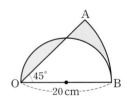

108

☑8877-0176

오른쪽 그림에서 색칠한 부분의 넓이를 구하시오.

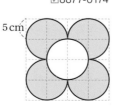

109

☑8877-0177

오른쪽 그림은 $\overline{\mathrm{AB}}$를 지름으로 하는 반원 O를 점 A를 중심으로 60°만큼 회전시킨 것이다. 반원 O의 지름의 길이가 12 cm일 때, 색칠한 부분의 둘레의 길이를 구하시오.

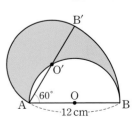

08

입체도형의 성질

(1) **다면체**: 다각형인 면으로만 둘러싸인 입체도형으로 둘러싸인 면의 개수에 따라 사면체, 오면체, 육면체, 칠면체, …라고 한다.

(2) **다면체의 면**: 다면체를 둘러싸고 있는 다각형

(3) **다면체의 모서리**: 다각형의 변

(4) **다면체의 꼭짓점**: 다각형의 꼭짓점

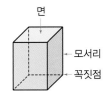

원기둥, 원뿔 등은 다각형이 아닌 면으로 둘러싸여 있으므로 다면체가 아니다.

사면체 ⇨ 면의 개수 4개	오면체 ⇨ 면의 개수 5개
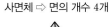	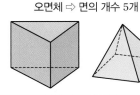
육면체 ⇨ 면의 개수 6개	칠면체 ⇨ 면의 개수 7개

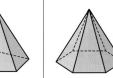

001

다음 보기에서 다면체인 것을 모두 고르시오.

┤ 보기 ├

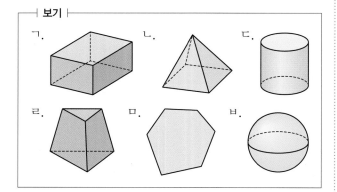

ㄱ. ㄴ. ㄷ.

ㄹ. ㅁ. ㅂ.

002

☑8877-0178

다음 중 다면체의 이름이 잘못 짝지어진 것은?

① 삼각뿔 – 사면체

② 오각뿔 – 육면체

③ 사각기둥 – 육면체

④ 육각뿔대 – 칠면체

⑤ 팔각뿔대 – 십면체

003

☑8877-0179

다음 조건을 만족시키는 다면체의 이름을 말하시오.

⑺ 6개의 직사각형으로 둘러싸여 있다.

⑻ 모서리가 12개, 꼭짓점이 8개이다.

⑼ 서로 평행한 면이 3쌍이 있다.

004

☑8877-0180

오른쪽 그림과 같은 다면체와 면의 개수가 같은 것을 다음 보기에서 모두 고르시오.

┤ 보기 ├

ㄱ. 사각기둥

ㄴ. 사각뿔

ㄷ. 오각기둥

ㄹ. 오각뿔

ㅁ. 오각뿔대

ㅂ. 육각뿔

(1) **직육면체**: 다면체 중 직사각형 6개로 둘러싸인 도형
(2) **정육면체**: 직육면체 중 정사각형 6개로 둘러싸인 도형

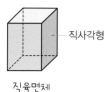
직육면체

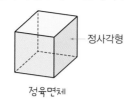
정육면체

직육면체와 정육면체	면	모서리	꼭짓점
수(개)	6	12	8

005

오른쪽 그림과 같은 직육면체를 보고 다음 물음에 답하시오.

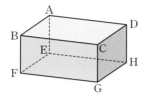

(1) 면 ABCD와 만나는 면의 개수를 구하시오.

(2) 서로 마주 보고 있는 면은 모두 몇 쌍인지 말하시오.

(3) 면 CGHD와 수직인 면을 모두 말하시오.

006

☑8877-0181

오른쪽 그림과 같은 정육면체의 모든 모서리의 길이의 합을 구하시오.

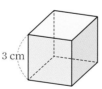
3 cm

007

☑8877-0182

오른쪽 그림을 보고 □ 안에 알맞은 수나 말을 써넣으시오.

정사각형 모양의 면 □개로 둘러싸인 도형을 □ 라고 한다.

008

다음 그림을 보고 물음에 답하시오.

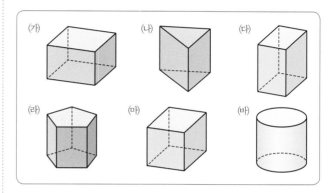

(가) (나) (다) (라) (마) (바)

(1) 직육면체를 모두 찾아 기호를 쓰시오.

(2) 정육면체를 찾아 기호를 쓰시오.

009

☑8877-0183

정육면체에 대한 설명으로 옳지 <u>않은</u> 것은?

① 면의 개수는 6개이다.
② 모서리의 개수는 12개이다.
③ 꼭짓점의 개수는 8개이다.
④ 모서리의 길이가 서로 다르다.
⑤ 밑면과 옆면은 서로 수직이다.

(1) **직육면체의 겨냥도**: 직육면체의 모양을 잘 알 수 있도록 하기 위하여 보이는 모서리는 실선으로, 보이지 않는 모서리는 점선으로 나타낸다.

(2) **직육면체의 전개도**: 직육면체의 모서리를 잘라서 펼쳐 놓은 그림으로 잘린 모서리는 실선, 잘리지 않은 모서리는 점선으로 나타낸다.

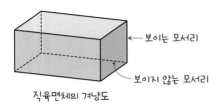

← 보이는 모서리

← 보이지 않는 모서리

직육면체의 겨냥도

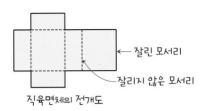

← 잘린 모서리

← 잘리지 않은 모서리

직육면체의 전개도

010

☑8877-0184

오른쪽 그림과 같은 직육면체의 겨냥도를 보고 물음에 답하시오.

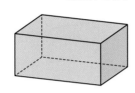

(1) 보이는 면과 보이지 않는 면의 개수를 차례로 구하시오.

(2) 보이는 모서리와 보이지 않는 모서리의 개수를 차례로 구하시오.

(3) 보이는 꼭짓점과 보이지 않는 꼭짓점의 개수를 차례로 구하시오.

011

☑8877-0185

오른쪽 그림은 직육면체의 전개도이다. ㉠, ㉡, ㉢에 알맞은 수를 각각 구하시오.

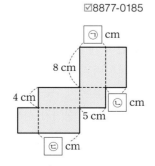

㉠ cm

8 cm

4 cm

㉡ cm

5 cm

㉢ cm

012

☑8877-0186

다음 그림을 보고 □ 안에 알맞은 것을 써넣으시오.

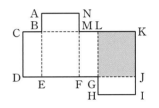

(1) 직육면체의 모서리를 잘라서 펼쳐 놓은 그림을 직육면체의 □□□□라고 한다.

(2) 위 그림은 직육면체를 펼쳐서 잘리지 않은 모서리는 □□□, 잘린 모서리는 □□□으로 나타낸 것이다.

(3) 모양과 크기가 같은 면은 모두 □쌍이다.

(4) 전개도를 접었을 때 점 A와 만나는 점은 점 □와 점 □이다.

(5) 전개도를 접었을 때 선분 EF와 만나는 선분은 선분 □□이다.

(6) 전개도를 접었을 때 색칠한 면과 평행한 면은 면 □□□□이다.

013

☑8877-0187

다음 그림을 보고 물음에 답하시오.

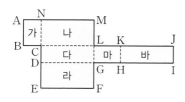

(1) 면 가와 평행한 면을 말하시오.

(2) 면 가와 수직인 면을 모두 말하시오.

(3) 위의 전개도를 접었을 때 선분 EF와 맞닿는 선분을 말하시오.

014

오른쪽 그림과 같은 직육면체의 겨냥도를 보고 전개도를 그리시오.

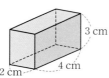

015

☑8877-0188

다음 그림과 같이 정육면체 모양의 상자에 선을 그었다. 상자에 그은 선을 전개도에 나타내시오.

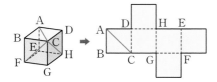

016

다음 그림과 같이 직육면체 모양의 상자에 색 테이프를 붙였다. 이 직육면체의 전개도에 색 테이프가 지나간 자리를 나타내시오.

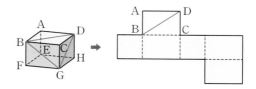

017

☑8877-0189

직육면체에 대한 다음 설명으로 옳은 것은?

① 직육면체의 겨냥도에서 보이는 모서리는 모두 12개이다.

② 정육면체를 직육면체라고 할 수 있다.

③ 직육면체에서 서로 만나는 면은 평행하다.

④ 직육면체의 면은 모두 6개이고, 면의 크기가 모두 같다.

⑤ 직육면체를 정육면체라고 할 수 있다.

018

☑8877-0190

오른쪽 그림과 같은 정육면체의 전개도에서 서로 평행한 두 면에 적힌 수의 합은 모두 같다. ㉠+㉡의 값을 구하시오.

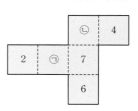

019

☑8877-0191

오른쪽 그림과 같은 정육면체의 모든 모서리의 길이의 합은 72 cm이다. 이 정육면체의 보이지 않는 모서리의 길이의 합을 구하시오.

각기둥: 위아래로 있는 두 밑면이 서로 평행하고 합동인 다각형으로 옆면이 모두 직사각형인 입체도형이다.
밑면을 이루는 다각형의 모양에 따라 삼각기둥, 사각기둥, 오각기둥, …이라고 한다.

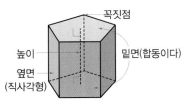

- 밑면: 평행하며 합동인 다각형
- 옆면: 모두 직사각형
- 높이: 두 밑면에 수직인 선분의 길이

모양				…	n각기둥
각기둥 이름	삼각기둥	사각기둥	오각기둥	…	n각기둥
밑면의 모양	삼각형	사각형	오각형	…	n각형
면의 개수	5	6	7	…	$n+2$
모서리의 개수	9	12	15	…	$n \times 3$
꼭짓점의 개수	6	8	10	…	$n \times 2$
옆면의 모양	직사각형	직사각형	직사각형	…	직사각형

020

다음 각기둥의 이름을 쓰시오.

(1) 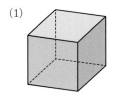　　　(2)

021

☑8877-0192

각기둥에 대한 다음 설명으로 옳지 <u>않은</u> 것은?

① 두 밑면은 서로 평행하다.
② 두 밑면은 서로 합동이다.
③ 옆면의 모양은 직사각형이다.
④ 옆면과 밑면은 서로 평행하다.
⑤ 두 밑면 사이의 거리를 높이라고 한다.

022

☑8877-0193

오른쪽 그림의 각기둥을 보고 물음에 답하시오.

(1) 서로 평행한 두 면을 찾아 색칠하시오.

(2) 밑면에 수직인 면의 개수를 구하시오.

023

☑8877-0194

다음 전개도를 보고 물음에 답하시오.

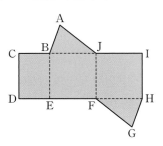

(1) 전개도를 접었을 때 만들어지는 입체도형의 이름을 말하시오.

(2) 전개도를 접었을 때 면 ABJ와 평행한 면을 말하시오.

024

☑8877-0195

다음 조건을 모두 만족하는 입체도형의 이름을 말하시오.

> (가) 십면체이다.
> (나) 두 밑면은 서로 평행하고 합동이다.
> (다) 옆면은 모두 직사각형이다.

025

☑8877-0196

오른쪽 그림과 같은 각기둥의 한 밑면이 면 ABCD일 때, 높이를 잴 수 있는 모서리가 아닌 것은?

① 모서리 AE
② 모서리 BF
③ 모서리 CG
④ 모서리 DH
⑤ 모서리 HG

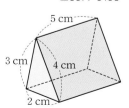

026

☑8877-0197

사각기둥에 대한 설명으로 옳은 것을 모두 고르면?

(정답 2개)

① 밑면은 2개이다.
② 꼭짓점은 4개이다.
③ 모서리는 8개이다.
④ 옆면은 직사각형이다.
⑤ 밑면의 모양은 직사각형이다.

027

☑8877-0198

오른쪽 그림의 도형을 보고 다음 물음에 답하시오.

(1) 각기둥의 이름을 말하시오.

(2) 각기둥의 모든 모서리의 길이의 합을 구하시오.

028

☑8877-0199

오른쪽 그림과 같은 전개도를 접었을 때 만들어지는 입체도형의 꼭짓점의 개수와 모서리의 개수의 합은?

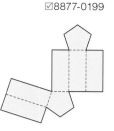

① 20   ② 25
③ 28   ④ 32
⑤ 35

029

☑8877-0200

다음은 사각기둥의 전개도를 그린 것이다. ㉠, ㉡, ㉢에 들어갈 알맞은 수를 구하시오.

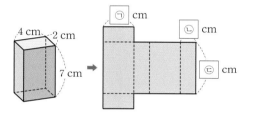

030

☑8877-0201

오른쪽 그림과 같은 각기둥의 밑면에 수직인 면의 개수를 구하시오.

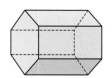

031

☑8877-0202

다음 보기의 전개도 중 사각기둥을 만들 수 없는 것을 찾아 기호를 쓰시오.

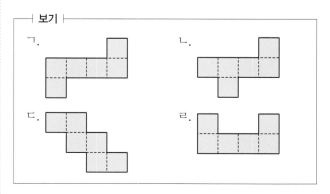

┤ 보기 ├

ㄱ.   ㄴ.

ㄷ.   ㄹ.

각뿔: 밑에 놓인 면이 다각형이고 옆으로 둘러싸인 면이 모두 삼각형인 입체도형이다. 밑면을 이루는 다각형의 모양에 따라 삼각뿔, 사각뿔, 오각뿔, …이라고 한다.

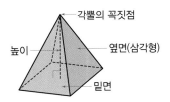

- 밑면: 바닥면
- 옆면: 옆으로 둘러싸인 면
- 높이: 각뿔의 꼭짓점에서 밑면에 수직으로 그은 선분의 길이
- 각뿔의 꼭짓점: 꼭짓점 중에서도 옆면이 모두 만나는 점으로 오직 1개

겨냥도				…	n각뿔
각뿔 이름	삼각뿔	사각뿔	오각뿔	…	n각뿔
밑면의 모양	삼각형	사각형	오각형	…	n각형
면의 개수	4	5	6	…	$n+1$
모서리의 개수	6	8	10	…	$n \times 2$
꼭짓점의 개수	4	5	6	…	$n+1$
각뿔의 꼭짓점	1	1	1	…	1
옆면의 모양	삼각형	삼각형	삼각형	…	삼각형

032

☑8877-0203

다음 □ 안에 알맞은 말을 써넣으시오.

각뿔에서 꼭짓점 중에서도 옆면이 모두 만나는 점을 [   ](이)라고 하고, 각뿔의 꼭짓점에서 밑면에 수직으로 그은 선분의 길이를 [   ](이)라고 한다.

033

☑8877-0204

밑면의 모양이 정팔각형인 정팔각뿔은 [(가)]이고, 옆면의 모양은 [(나)]이다. (가), (나)에 들어갈 알맞은 말을 바르게 짝지은 것은?

① (가) 구면체, (나) 정삼각형
② (가) 구면체, (나) 이등변삼각형
③ (가) 팔면체, (나) 정삼각형
④ (가) 팔면체, (나) 이등변삼각형
⑤ (가) 구면체, (나) 사다리꼴

034

☑8877-0205

다음 두 도형의 공통점을 모두 고르면? (정답 2개)

① 밑면의 개수가 같다.   ② 밑면의 모양이 같다.
③ 모서리의 개수가 같다.   ④ 꼭짓점의 개수가 같다.
⑤ 옆면의 모양이 삼각형이다.

035

☑8877-0206

각뿔에 대한 다음 설명 중 옳지 않은 것은?

① 밑면은 1개이다.
② 밑면은 다각형이다.
③ 각뿔의 꼭짓점은 1개이다.
④ 옆면의 모양은 직사각형이다.
⑤ 밑면의 모양에 따라 이름이 정해진다.

각뿔대

각뿔대: 각뿔을 밑면에 평행한 평면으로 자를 때 생기는 두 다면체 중에서 각뿔이 아닌 쪽의 다면체

① 밑면을 이루는 다각형의 모양에 따라 삼각뿔대, 사각뿔대, 오각뿔대, …라고 한다.

② 두 밑면은 서로 평행하고 모양은 같지만 크기는 다르다.

③ 옆면은 사다리꼴이다.

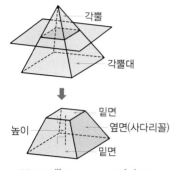

• 밑면: 각뿔대에서 서로 평행한 두 면
• 옆면: 각뿔대에서 밑면이 아닌 면
• 높이: 각뿔대의 두 밑면에 수직인 선분의 길이

겨냥도				…	n각뿔대
각뿔대 이름	삼각뿔대	사각뿔대	오각뿔대	…	n각뿔대
밑면의 모양	삼각형	사각형	오각형	…	n각형
면의 개수	5	6	7	…	$n+2$
모서리의 개수	9	12	15	…	$n \times 3$
꼭짓점의 개수	6	8	10	…	$n \times 2$
옆면의 모양	사다리꼴	사다리꼴	사다리꼴	…	사다리꼴

036
☑8877-0207

각뿔대에 대한 다음 설명 중 옳은 것에는 ○표, 옳지 않은 것에는 ×표를 하시오.

(1) 각뿔대의 두 밑면은 합동이다. (　　　)
(2) 사각뿔대의 옆면은 사다리꼴이다. (　　　)
(3) 각뿔대의 옆면은 직사각형이다. (　　　)
(4) 육각뿔대는 8개의 면을 갖는다. (　　　)
(5) 각뿔대의 두 밑면은 평행하다. (　　　)

037
☑8877-0208

다음 중 면의 개수가 가장 많은 다면체는?

① 오각기둥　　② 정육각뿔　　③ 정육면체
④ 칠각뿔대　　⑤ 팔면체

038
☑8877-0209

다음 중 육각뿔대에 대한 설명으로 옳은 것은?

① 육면체이다.
② 꼭짓점은 16개이다.
③ 모서리는 18개이다.
④ 옆면의 모양은 직사각형이다.
⑤ 두 밑면은 합동이다.

039
☑8877-0210

삼각뿔대의 모서리의 개수를 a, 사각뿔대의 면의 개수를 b, 오각뿔대의 꼭짓점의 개수를 c라 할 때, $a+b+c$의 값을 구하시오.

(1) **정다면체**: 다음 두 조건을 모두 만족하는 다면체를 정다면체라고 한다. → 정다면체는 모두 5가지뿐이다.

① 각 면이 모두 합동인 정다각형이다.

② 각 꼭짓점에 모인 면의 개수가 모두 같다.

겨냥도	정사면체	정육면체	정팔면체	정십이면체	정이십면체
한 꼭짓점에 모인 면의 개수	3	3	4	3	5
겨냥도					
전개도					
면의 모양	정삼각형	정사각형	정삼각형	정오각형	정삼각형
면의 개수	4	6	8	12	20
꼭짓점의 개수	4	8	6	20	12
모서리의 개수	6	12	12	30	30

(2) **정다면체가 5가지 밖에 없는 이유**: 정다면체는 입체도형이므로 두 조건을 모두 만족해야 한다.

① 한 꼭짓점에서 3개 이상의 각 면이 만나야 한다.

② 한 꼭짓점에 모인 각의 크기의 합이 360°보다 작아야 한다.

---

040 ☑8877-0211

다음 중 옳은 것에는 ○표, 옳지 않은 것에는 ×표를 하시오.

(1) 정다면체의 종류는 무수히 많다. (   )

(2) 정다면체는 모든 면이 합동인 정다각형이다.

(   )

(3) 정다면체의 한 면이 될 수 있는 다각형은 정삼각형, 정사각형, 정오각형, 정육각형이다. (   )

041 ☑8877-0212

다음 두 조건을 모두 만족시키는 정다면체의 이름을 말하시오.

> ㈎ 한 꼭짓점에 모이는 면의 개수는 3개이다.
> ㈏ 각 면은 모두 합동인 정오각형으로 이루어져 있다.

042

☑8877-0213

다음 조건을 모두 만족시키는 입체도형은?

> ㈎ 다면체이다.
> ㈏ 각 면은 모두 합동인 정삼각형이다.
> ㈐ 각 꼭짓점에 모인 면의 개수는 4개이다.

① 사각뿔   ② 사각뿔대   ③ 정사면체
④ 정팔면체   ⑤ 정십이면체

043

☑8877-0214

다음 중 정다면체에 대한 설명으로 옳지 않은 것은?

① 정다면체는 5가지이다.
② 정다면체의 면이 될 수 있는 다각형은 정삼각형이다.
③ 한 정다면체의 각 꼭짓점에 모인 면의 개수는 같다.
④ 모든 면이 합동인 정다각형이다.
⑤ 정삼각형이 한 꼭짓점에 5개씩 모인 정다면체는 정이십면체이다.

044

☑8877-0215

다음 중 정다면체와 그 정다면체의 각 면의 모양이 잘못 짝지어진 것은?

① 정사면체 – 정삼각형   ② 정육면체 – 정사각형
③ 정팔면체 – 정사각형   ④ 정십이면체 – 정오각형
⑤ 정이십면체 – 정삼각형

045

☑8877-0216

오른쪽 그림은 각 면이 모두 합동인 정삼각형 6개로 이루어진 다면체이다. 이 다면체가 정다면체가 아닌 이유를 설명하시오.

046

☑8877-0217

오른쪽 그림과 같은 전개도로 만든 정다면체에 대한 설명으로 옳지 않은 것을 모두 고르면? (정답 2개)

① 정사면체이다.
② 선분 AD와 겹치는 선분은 선분 DB이다.
③ 한 꼭짓점에 모인 면의 개수는 4개이다.
④ 점 A와 겹치는 꼭짓점은 점 B로 1개이다.
⑤ 면은 모두 합동인 정삼각형이다.

047

☑8877-0218

다음 중 오른쪽 그림의 전개도로 만들어지는 정다면체에 대한 설명으로 옳은 것을 모두 고르면? (정답 2개)

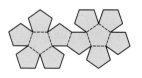

① 정십이면체이다.
② 꼭짓점의 개수는 25개이다.
③ 모서리의 개수는 15개이다.
④ 모든 면이 합동인 정오각형으로 이루어져 있다.
⑤ 한 꼭짓점에 모인 면의 개수는 4개이다.

유형 08-8 회전체

(1) **회전체**: 평면도형을 한 직선 l을 축으로 하여 1회전 시킬 때 생기는 입체도형
(2) **회전축**: 회전체에서 축으로 사용한 직선 l
(3) **모선**: 회전하면서 옆면을 만드는 선분
(4) **회전체의 종류**

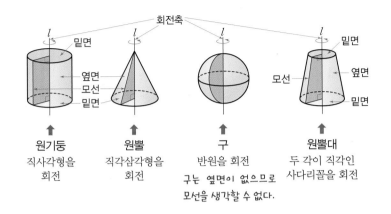

원기둥	원뿔	구	원뿔대
직사각형을 회전	직각삼각형을 회전	반원을 회전	두 각이 직각인 사다리꼴을 회전

구는 옆면이 없으므로 모선을 생각할 수 없다.

048
☑8877-0219

오른쪽 그림과 같은 평면도형을 직선 l을 축으로 하여 1회전 시켜서 만들어지는 입체도형의 이름을 말하시오.

049
☑8877-0220

다음 중 회전체가 <u>아닌</u> 것을 모두 고르면? (정답 2개)

  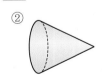 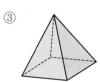

050
☑8877-0221

다음 중 보기의 입체도형에 대한 설명으로 옳지 <u>않은</u> 것을 모두 고르면? (정답 2개)

보기
ㄱ. 사각뿔대   ㄴ. 원뿔   ㄷ. 정이십면체
ㄹ. 원뿔대   ㅁ. 구

① ㄱ, ㄷ은 다면체이다.
② ㄱ은 모든 면이 삼각형이다.
③ ㄴ, ㄹ, ㅁ은 회전체이다.
④ ㄷ은 각 꼭짓점에 정삼각형이 5개씩 모여 있다.
⑤ ㅁ은 사분원을 회전시킨 것이다.

051
☑8877-0222

다음 보기에서 회전체인 것을 모두 고르시오.

보기
ㄱ. 원뿔   ㄴ. 정육면체   ㄷ. 오각뿔
ㄹ. 반구   ㅁ. 원뿔대   ㅂ. 육각기둥
ㅅ. 정십이면체   ㅇ. 원기둥   ㅈ. 사각뿔대

	원기둥	원뿔	원뿔대	구
회전체	밑면 옆면 높이 밑면	원뿔의 꼭짓점 옆면 높이 모선 밑면	밑면 모선 높이 밑면	구의 중심 반지름
회전시키는 평면도형	직사각형	직각삼각형	두 각이 직각인 사다리꼴	반원
회전축을 포함하는 평면으로 자른 단면의 모양 모두 합동이고 선대칭도형이다.	직사각형	이등변삼각형	등변사다리꼴	원
회전축에 수직인 평면으로 자른 단면 항상 원이다.	원	원	원	원

052
☑8877-0223

오른쪽 그림과 같은 평면도형을 직선 l을 축으로 하여 1회전 시킬 때 생기는 회전체는?

①
②
③
④
⑤

053
☑8877-0224

다음 그림과 같은 평면도형을 직선 l을 축으로 하여 1회전 시킬 때 생기는 회전체를 그리시오.

(1)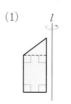

(2)

054

☑8877-0225

다음 보기 중 회전체와 그 회전체의 축을 포함하는 평면으로 잘랐을 때 생기는 단면의 모양을 잘못 짝지은 것을 모두 고르시오.

┤ 보기 ├

ㄱ. 원기둥 – 직사각형　　ㄴ. 구 – 원
ㄷ. 원뿔 – 원　　　　　ㄹ. 원뿔대 – 삼각형

055

☑8877-0226

다음 중 회전체를 회전축에 수직인 평면으로 자른 단면의 모양이 바르게 짝지어진 것을 모두 고르면? (정답 2개)

① 원기둥 – 직사각형
② 원뿔 – 원
③ 원뿔대 – 사다리꼴
④ 구 – 원
⑤ 반구 – 반원

056

☑8877-0227

다음 보기 중 회전체를 회전축을 포함하는 평면으로 자를 때 나타날 수 있는 단면의 모양을 모두 고르시오.

┤ 보기 ├

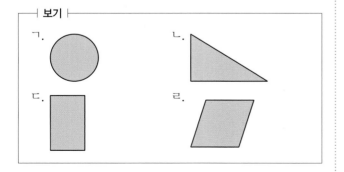

057

오른쪽 그림과 같은 회전체를 회전축에 수직인 평면으로 자른 단면의 모양을 그리시오.

058

☑8877-0228

오른쪽 그림과 같은 직사각형을 직선 l 을 축으로 하여 1회전 시킬 때 생기는 회전체가 있다. 다음 물음에 답하시오.

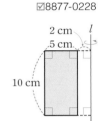

(1) 다음 보기에서 회전체의 모양으로 옳은 것을 고르시오.

┤ 보기 ├

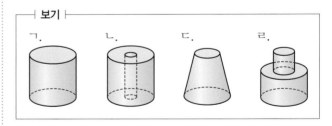

(2) 회전체를 회전축에 수직인 평면으로 자른 단면의 넓이를 구하시오.

(3) 회전체를 회전축을 포함하는 평면으로 자른 단면의 넓이를 구하시오.

	원기둥	원뿔	원뿔대
회전체의 전개도	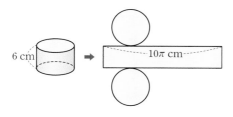 • (직사각형의 가로의 길이) = (밑면인 원의 둘레의 길이) • (직사각형의 세로의 길이) = (원기둥의 높이)	• (부채꼴의 반지름의 길이) = (원뿔의 모선의 길이) • (부채꼴의 호의 길이) = (밑면인 원의 둘레의 길이)	• (옆면에서 곡선으로 된 두 부분의 길이) = (밑면인 두 원의 둘레의 길이)

059

다음은 원기둥과 그 전개도이다. 물음에 답하시오.

(1) 원기둥의 한 밑면의 둘레의 길이를 구하시오.

(2) 원기둥의 밑면의 반지름의 길이를 구하시오.

060

☑8877-0229

오른쪽 그림의 원기둥을 펼쳐 전개도를 만들었을 때, 옆면의 둘레의 길이를 구하시오.

061

☑8877-0230

오른쪽 그림과 같은 원뿔의 밑면의 한 점 A에서 실을 감아 다시 A로 돌아오는 가장 짧은 길이를 전개도에 바르게 나타낸 것은?

①

②

③

④

⑤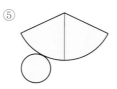

각기둥의 겉넓이 S는

$S=$(밑넓이)$\times 2+$(옆넓이)

$\hookrightarrow$ (밑면의 둘레의 길이) $\times$ (높이)

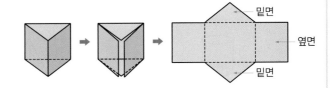

밑면

옆면

밑면

예 오른쪽 삼각기둥의 전개도에서

(밑넓이)=(삼각형의 넓이)=$\frac{1}{2}\times 6\times 4=12$ (cm^2)

(옆넓이)=(직사각형의 넓이)=$(5+6+5)\times 8=128$ (cm^2)

따라서 (겉넓이)=$12\times 2+128=152$ (cm^2)

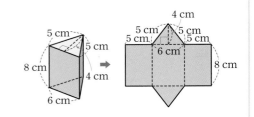

062

아래 그림과 같은 삼각기둥과 그 전개도에 대하여 다음을 구하시오.

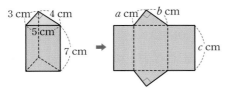

(1) a, b, c의 값

(2) 삼각기둥의 겉넓이

063

☑8877-0231

오른쪽 그림과 같은 직육면체의 겉넓이를 구하시오.

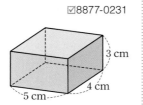

064

☑8877-0232

오른쪽 그림의 전개도를 이용하여 만들 수 있는 직육면체의 겉넓이를 구하시오.

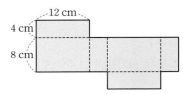

065

☑8877-0233

오른쪽 그림과 같은 직육면체의 겉넓이는 148 cm^2이다. 이 직육면체의 높이를 구하시오.

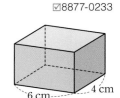

066

☑8877-0234

오른쪽 그림과 같은 입체도형의 겉넓이는?

① 184 cm^2 ② 190 cm^2

③ 194 cm^2 ④ 198 cm^2

⑤ 216 cm^2

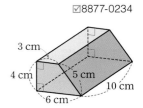

밑면의 반지름의 길이가 r, 높이가 h인 원기둥에서

① (옆면의 가로의 길이) = (밑면의 원주) = $2\pi r$

② (옆면의 세로의 길이) = (높이) = h

③ (옆넓이) = (직사각형의 넓이) = $2\pi r \times h = 2\pi rh$

④ (밑넓이) = (원의 넓이) = πr^2

따라서 원기둥의 겉넓이 S는

$S = ($ 밑넓이 $) \times 2 + ($ 옆넓이 $) = 2\pi r^2 + 2\pi rh$

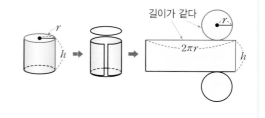
길이가 같다

예 오른쪽 원기둥의 전개도에서 밑면의 반지름의 길이가 3 cm, 높이가 7 cm이므로

(밑넓이) = $\pi \times 3^2 = 9\pi$ (cm^2)

(옆넓이) = $(2\pi \times 3) \times 7 = 42\pi$ (cm^2)

따라서 (겉넓이) = $9\pi \times 2 + 42\pi = 60\pi$ (cm^2)

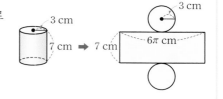

067

오른쪽 그림과 같은 원기둥의 겉넓이를 구하시오.

068

☑8877-0235

오른쪽 그림과 같은 전개도로 만들어지는 원기둥의 겉넓이를 구하시오.

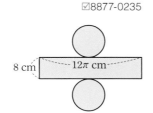

069

☑8877-0236

오른쪽 그림과 같은 원기둥 모양의 통의 겉면에 색을 칠하려고 한다. 색을 칠해야 하는 부분의 넓이를 구하시오.

070

☑8877-0237

오른쪽 그림과 같은 원기둥의 겉넓이가 224π cm^{2}일 때, ☐ 안에 알맞은 수를 써넣으시오.

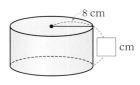

071

☑8877-0238

오른쪽 그림과 같은 원기둥의 옆넓이가 24π cm^{2}일 때, h와 겉넓이를 각각 구하시오.

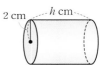

072

☑8877-0239

다음 그림에서 정육면체의 겉넓이를 A, 원기둥의 겉넓이를 B라 할 때, $\dfrac{B}{A}$의 값을 구하시오.

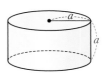

각뿔의 겉넓이를 S라 하면
$S = ($밑넓이$) + ($옆넓이$)$

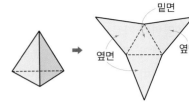

예 오른쪽 사각뿔의 전개도에서
   $($밑넓이$) = 5 \times 5 = 25 \ (\text{cm}^2)$
   $($옆넓이$) = 4 \times \left(\dfrac{1}{2} \times 5 \times 7 \right) = 70 \ (\text{cm}^2)$
   따라서 $($겉넓이$) = ($밑넓이$) + ($옆넓이$) = 25 + 70 = 95 \ (\text{cm}^2)$

 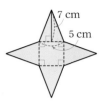

073

☑8877-0240

다음 입체도형의 전개도에서 a, b의 값과 입체도형의 겉넓이를 각각 구하시오. (단, 사각뿔의 옆면은 모두 합동이다.)

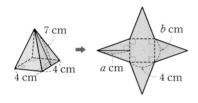

074

다음 각뿔의 겉넓이를 구하시오.
(단, 사각뿔의 옆면은 모두 합동이다.)

(1)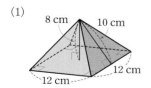

(2)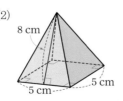

075

☑8877-0241

오른쪽 그림과 같은 사각뿔의 겉넓이가 $176 \ \text{cm}^2$일 때, x의 값을 구하시오. (단, 사각뿔의 옆면은 모두 합동이다.)

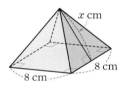

076

☑8877-0242

오른쪽 그림과 같은 사각뿔의 겉넓이를 구하시오. (단, 사각뿔의 옆면은 모두 합동이다.)

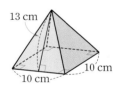

077

☑8877-0243

오른쪽 그림의 전개도에서 모든 삼각형이 합동인 이등변삼각형일 때, 이 전개도로 만든 입체도형의 겉넓이를 구하시오.

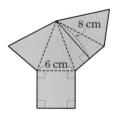

유형 08-14 원뿔의 겉넓이

밑면의 반지름의 길이가 r, 모선의 길이가 l일 때

① (밑넓이)$=\pi r^2$

② (옆넓이)$=\dfrac{1}{2}\times 2\pi r\times l=\pi rl$

따라서 원뿔의 겉넓이 S는

$S=($ 밑넓이 $)+($ 옆넓이 $)=\pi r^2+\pi rl$

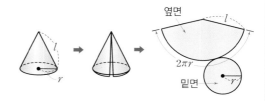

예 오른쪽 원뿔의 전개도에서 밑면의 반지름의 길이가 2 cm, 모선의 길이가

5 cm이므로

(겉넓이)$=($ 밑넓이 $)+($ 옆넓이 $)$

$\qquad =(\pi\times 2^2)+\left(\dfrac{1}{2}\times 5\times 4\pi\right)$

$\qquad =4\pi+10\pi=14\pi\ (\text{cm}^2)$

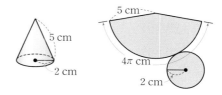

078

다음 원뿔의 겉넓이를 구하시오.

(1)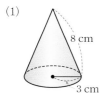

(2)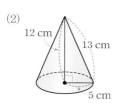

079

☑8877-0244

오른쪽 그림과 같은 원뿔의 전개도
로 만들어지는 원뿔의 겉넓이를 구
하시오.

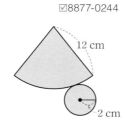

080

☑8877-0245

전개도가 오른쪽 그림과 같은 원
뿔의 겉넓이를 구하시오.

081

☑8877-0246

밑면의 반지름의 길이가 4 cm인 원뿔의 겉넓이가
$56\pi\ \text{cm}^2$일 때, 이 원뿔의 모선의 길이를 구하시오.

082

☑8877-0247

오른쪽 그림과 같은 원뿔의 전개
도로 만들어지는 원뿔의 겉넓이를
구하시오.

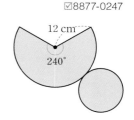

083

☑8877-0248

오른쪽 그림과 같은 도형을 직선 l을 축으
로 하여 1회전 시킬 때 생기는 입체도형의
겉넓이를 구하시오.

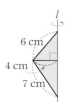

(1) 각뿔대의 겉넓이: (두 밑넓이의 합) + (옆넓이)
 ↳ (작은 밑면의 넓이) ↳ 4개의 사다리꼴의
  + (큰 밑면의 넓이) 넓이의 합

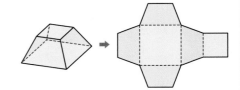

예 오른쪽 사각뿔대에서

(두 밑넓이의 합) = $(4 \times 4) + (10 \times 10) = 116$ (cm^2)

(옆넓이) = $\frac{1}{2}\{(4+10) \times 5\} \times 4 = 140$ (cm^2)

(겉넓이) = (두 밑넓이의 합) + (옆넓이)
    = $116 + 140 = 256$ (cm^2)

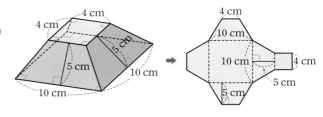

(2) 원뿔대의 겉넓이: (두 밑넓이의 합) + (옆넓이)
 ↳ (작은 원의 넓이) ↳ (큰 부채꼴의 넓이)
  + (큰 원의 넓이) − (작은 부채꼴의 넓이)

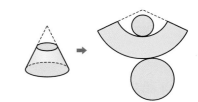

예 오른쪽 원뿔대에서

(호 AB의 길이) = $2\pi \times 3 = 6\pi$ (cm)

(호 CD의 길이) = $2\pi \times 9 = 18\pi$ (cm)

(두 밑넓이의 합) = $(\pi \times 9^2) + (\pi \times 3^2) = 90\pi$ (cm^2)

(옆넓이) = $(\pi \times 9 \times 15) - (\pi \times 3 \times 5)$
    = $135\pi - 15\pi = 120\pi$ (cm^2)

(겉넓이) = (두 밑넓이의 합) + (옆넓이)
    = $90\pi + 120\pi = 210\pi$ (cm^2)

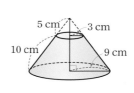
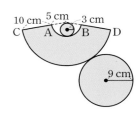

084

☑8877-0249

다음 뿔대의 겉넓이를 구하시오.

(1)
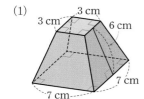

(2)
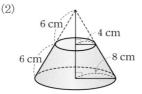

085

☑8877-0250

오른쪽 그림과 같은 입체도형이 있다. 다음을 구하시오.

(1) 입체도형의 두 밑넓이의 합

(2) 입체도형의 옆넓이

(3) 입체도형의 겉넓이

유형 08-16 각기둥의 부피

(1) **직육면체의 부피**

(직육면체의 부피)

= (가로의 길이) × (세로의 길이) × (높이)

= (한 모서리의 길이) × (한 모서리의 길이) × (한 모서리의 길이)

예 오른쪽 그림의 직육면체의 부피를 1 cm³인 단위부피를 활용해 구해 보면

$(4 \times 3 \times 2) \times 1 = 24 \ (\text{cm}^3)$

참고 한 모서리의 길이가 1 cm인 정육면체의 부피 1 cm³를 단위부피라 한다.

(2) **각기둥의 부피**

밑넓이가 S, 높이가 h인 각기둥의 부피 V는

$V = (밑넓이) \times (높이) = Sh$

086

한 개의 부피가 1 cm³인 쌓기나무를 쌓아 오른쪽 그림과 같은 직육면체를 만들었다. 물음에 답하시오.

(1) 사용된 쌓기나무의 개수를 구하시오.

(2) 직육면체의 부피를 구하시오.

087

☑8877-0251

오른쪽 그림과 같은 직육면체의 부피를 구하시오.

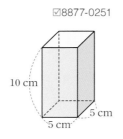

088

☑8877-0252

오른쪽 그림과 같은 각기둥의 부피를 구하시오.

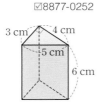

089

☑8877-0253

오른쪽 그림과 같은 각기둥의 부피를 구하시오.

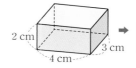

090

☑8877-0254

밑면이 오른쪽 그림과 같은 각기둥의 부피가 180 cm³일 때, 이 각기둥의 높이를 구하시오.

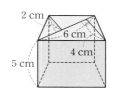

091

☑8877-0255

겉넓이가 150 cm²인 정육면체의 부피는?

① 64 cm³   ② 80 cm³   ③ 95 cm³

④ 125 cm³   ⑤ 216 cm³

밑면인 원의 반지름의 길이가 r, 높이가 h인 원기둥의 부피 V는

$V = ($밑넓이$) \times ($높이$) = \pi r^2 \times h = \pi r^2 h$

예 오른쪽 그림과 같은 원기둥에서 밑면의 반지름의 길이가 $5\,\mathrm{cm}$,

높이가 $8\,\mathrm{cm}$이므로

$($부피$) = \pi \times 5^2 \times 8 = 200\pi\ (\mathrm{cm}^3)$

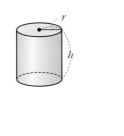

092

☑8877-0256

다음 원기둥의 부피를 구하시오.

(1)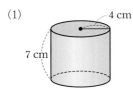

(2)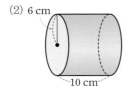

093

☑8877-0257

오른쪽 그림과 같은 원기둥의 한 밑면의 넓이가 $25\pi\,\mathrm{cm}^2$일 때, 이 원기둥의 부피를 구하시오.

094

☑8877-0258

오른쪽 그림과 같은 원기둥의 부피가 $175\pi\,\mathrm{cm}^3$일 때, x의 값을 구하시오.

095

☑8877-0259

오른쪽 그림과 같은 원기둥 모양의 캔에 음료수가 가득 들어 있고 그 용량은 $60\pi\,\mathrm{mL}$이다. 캔의 높이가 $\dfrac{60}{9}\,\mathrm{cm}$일 때, 밑면인 원의 반지름의 길이를 구하시오.

(단, $1\,\mathrm{mL} = 1\,\mathrm{cm}^3$이고 캔의 두께는 생각하지 않는다.)

096

☑8877-0260

오른쪽 그림과 같은 직사각형을 한 변을 지나는 직선 l을 축으로 하여 1회전 시켰을 때 만들어지는 입체도형의 부피는?

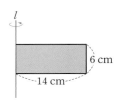

① $1176\pi\,\mathrm{cm}^3$ ② $1180\pi\,\mathrm{cm}^3$

③ $1186\pi\,\mathrm{cm}^3$ ④ $1190\pi\,\mathrm{cm}^3$

⑤ $1194\pi\,\mathrm{cm}^3$

097

☑8877-0261

오른쪽 그림과 같은 전개도를 가지는 원기둥의 부피를 구하시오.

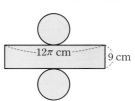

(1) 각뿔의 부피

$$(\text{각뿔의 부피}) = \frac{1}{3} \times (\text{기둥의 부피}) = \frac{1}{3} \times (\text{밑넓이}) \times (\text{높이})$$

예 오른쪽 그림의 각뿔에서

$$(\text{부피}) = \frac{1}{3} \times (\text{밑넓이}) \times (\text{높이}) = \frac{1}{3} \times (6 \times 6) \times 4 = 48 \ (\text{cm}^3)$$

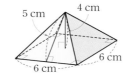

(2) 원뿔의 부피

밑면의 반지름의 길이가 r, 높이가 h인 원뿔에서

① $(\text{밑넓이}) = \pi r^2$

② $(\text{높이}) = h$

따라서 원뿔의 부피 V는

$$V = \frac{1}{3} \times (\text{밑넓이}) \times (\text{높이}) = \frac{1}{3} \times \pi r^2 \times h = \frac{1}{3}\pi r^2 h$$

예 오른쪽 그림의 원뿔에서 $r=6$ cm, $h=12$ cm이므로

$$(\text{부피}) = \frac{1}{3}\pi r^2 h = \frac{1}{3} \times \pi \times 6^2 \times 12 = 144\pi \ (\text{cm}^3)$$

098
☑8877-0262

다음 뿔의 부피를 구하시오.

(1)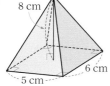

(2)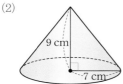

099
☑8877-0263

밑면의 반지름의 길이가 6 cm인 원뿔의 부피가 48π cm³일 때, 원뿔의 높이는?

① 4 cm   ② 6 cm   ③ 8 cm

④ 10 cm   ⑤ 12 cm

100
☑8877-0264

오른쪽 그림과 같은 입체도형의 부피를 구하시오.

101
☑8877-0265

다음 그림과 같이 밑면은 한 변의 길이가 10 cm인 정사각형이고 높이가 x cm인 사각뿔 모양의 그릇에 물을 가득 담은 후 사각기둥 모양의 그릇에 물을 부었더니 높이가 6 cm만큼 채워졌다. 이때 x의 값을 구하시오.

(단, 그릇의 두께는 생각하지 않는다.)

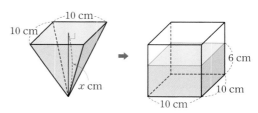

08 입체도형의 성질

유형 08-19 뿔대의 부피

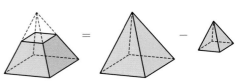

(1) 각뿔대의 부피

(각뿔대의 부피)＝(큰 각뿔의 부피)－(작은 각뿔의 부피)

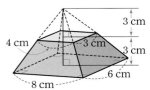

例 오른쪽 그림과 같이 밑면이 직사각형인 사각뿔대에서

(큰 각뿔의 부피)＝$\frac{1}{3}$×8×6×6＝96 (cm³)

(작은 각뿔의 부피)＝$\frac{1}{3}$×4×3×3＝12 (cm³)

(각뿔대의 부피)＝(큰 각뿔의 부피)－(작은 각뿔의 부피)

　　　　　　　＝96－12＝84 (cm³)

(2) 원뿔대의 부피

(원뿔대의 부피)＝(큰 원뿔의 부피)－(작은 원뿔의 부피)

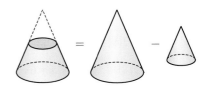

例 오른쪽 그림과 같은 원뿔대에서

(큰 원뿔의 부피)＝$\frac{1}{3}$×(π×9²)×9＝243π (cm³)

(작은 원뿔의 부피)＝$\frac{1}{3}$×(π×3²)×3＝9π (cm³)

(원뿔대의 부피)＝(큰 원뿔의 부피)－(작은 원뿔의 부피)

　　　　　　　＝243π－9π＝234π (cm³)

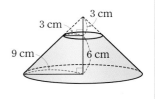

102
☑8877-0266

다음 각뿔대의 부피를 구하시오.

(1) 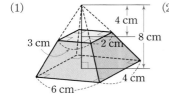　　(2)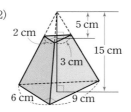

103
☑8877-0267

다음 원뿔대의 부피를 구하시오.

(1) 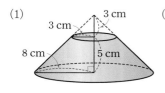　　(2)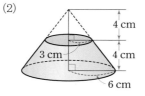

104
☑8877-0268

오른쪽 그림과 같은 평면도형을 직선 l을 축으로 하여 1회전 시킬 때 생기는 입체도형의 부피를 구하시오.

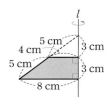

105
☑8877-0269

오른쪽 그림과 같은 입체도형의 부피를 구하시오.

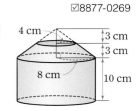

유형 08-20 구의 겉넓이와 부피

(1) **구의 겉넓이**

반지름의 길이가 r인 구의 겉넓이 S는

$S = 4\pi r^2$

→ 구의 겉넓이는 원의 넓이의 4배

(2) **구의 부피**

반지름의 길이가 r인 구의 부피 V는

$V = \dfrac{4}{3}\pi r^3$

예 오른쪽 그림과 같이 반지름의 길이가 3 cm인 구의 겉넓이 S, 부피 V를 각각 구하면

$S = 4\pi \times 3^2 = 36\pi \ (\mathrm{cm}^2)$

$V = \dfrac{4}{3}\pi \times 3^3 = 36\pi \ (\mathrm{cm}^3)$

106
☑8877-0270

다음 그림과 같이 구와 구를 잘라 낸 입체도형의 겉넓이와 부피를 각각 구하시오.

(1)

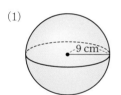

(2)

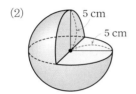

(3)

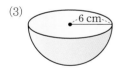

(4)

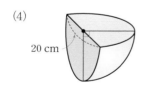

107
☑8877-0271

구의 반지름의 길이가 2배가 되면 구의 겉넓이와 부피는 각각 몇 배가 되는지 구하시오.

108
☑8877-0272

오른쪽 그림과 같이 반구 모양의 뚜껑과 원기둥 모양의 몸통을 가진 휴지통의 부피를 구하시오.

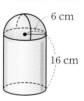

109
☑8877-0273

오른쪽 그림과 같이 밑면인 원의 반지름의 길이가 10 cm인 원기둥 모양의 그릇에 물의 높이가 12 cm가 되도록 물을 넣었다. 이 안

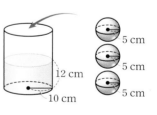

에 반지름의 길이가 5 cm인 구 3개를 완전히 잠기도록 넣었을 때, 올라간 물의 높이를 구하시오.

(단, 물은 넘치지 않는다.)

110
☑8877-0274

겉넓이가 $324\pi \ \mathrm{cm}^2$인 구의 반지름의 길이와 부피를 각각 구하시오.

오른쪽 그림과 같이 원기둥 안에 구와 원뿔이 꼭 맞게 들어 있을 때

$(원뿔의 부피) = \dfrac{1}{3} \times \pi \times r^2 \times 2r = \dfrac{2}{3}\pi r^3$

$(구의 부피) = \dfrac{4}{3}\pi r^3$

$(원기둥의 부피) = \pi \times r^2 \times 2r = 2\pi r^3$

따라서 $(원뿔의 부피) : (구의 부피) : (원기둥의 부피) = \dfrac{2}{3}\pi r^3 : \dfrac{4}{3}\pi r^3 : 2\pi r^3 = 1 : 2 : 3$

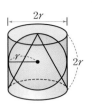

예 오른쪽 그림과 같이 밑면의 반지름의 길이가 3 cm이고 높이가 6 cm인 원기둥에 꼭 맞는 구와
원뿔에서 원뿔, 구, 원기둥의 부피의 비를 가장 간단한 자연수의 비로 나타내면

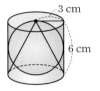

$(원뿔의 부피) = \dfrac{1}{3} \times \pi \times 3^2 \times 6 = 18\pi \ (\mathrm{cm}^3)$

$(구의 부피) = \dfrac{4}{3}\pi \times 3^3 = 36\pi \ (\mathrm{cm}^3)$

$(원기둥의 부피) = \pi \times 3^2 \times 6 = 54\pi \ (\mathrm{cm}^3)$

따라서 $(원뿔의 부피) : (구의 부피) : (원기둥의 부피) = 18\pi : 36\pi : 54\pi = 1 : 2 : 3$

111

오른쪽 그림과 같이 밑면의 반지름의
길이가 5 cm이고 높이가 10 cm인 원
기둥에 구와 원뿔이 꼭 맞게 들어 있다.
다음 빈칸에 알맞은 것을 써넣으시오.

(1) $(원기둥의 부피) = \pi \times \boxed{}^2 \times \boxed{} = \boxed{} \ (\mathrm{cm}^3)$

(2) $(구의 부피) = \dfrac{4}{3}\pi \times \boxed{}^3 = \boxed{} \ (\mathrm{cm}^3)$

(3) $(원뿔의 부피) = \dfrac{1}{3} \times \pi \times \boxed{}^2 \times \boxed{} = \boxed{} \ (\mathrm{cm}^3)$

(4) 원기둥, 구, 원뿔의 부피의 비는 $\boxed{} : \boxed{} : \boxed{}$ 이다.

112

☑8877-0275

오른쪽 그림과 같이 높이가 4 cm인
원기둥에 꼭 맞는 원뿔과 구가 있다.
구, 원뿔, 원기둥의 부피를 각각 구하
시오.

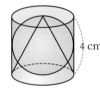

113

☑8877-0276

오른쪽 그림과 같이 원기둥 안에 구와 원
뿔이 꼭 맞게 들어 있다. 원기둥의 부피가
$75\pi \ \mathrm{cm}^3$일 때, 구와 원뿔의 부피를 각각
구하시오.

(1) **구멍이 뚫린 기둥의 겉넓이**

① (밑넓이)=(큰 기둥의 밑넓이)-(작은 기둥의 밑넓이)

② (옆넓이)=(큰 기둥의 옆넓이)+(작은 기둥의 옆넓이)

따라서 (겉넓이)=(밑넓이)×2+(옆넓이)

(2) **구멍이 뚫린 기둥의 부피**

(부피)=(큰 기둥의 부피)-(작은 기둥의 부피)

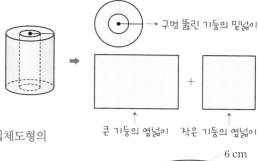

큰 기둥의 옆넓이   작은 기둥의 옆넓이

예 오른쪽 그림과 같이 큰 원기둥에서 작은 원기둥으로 잘라 낸 모양의 입체도형의 겉넓이 S와 부피 V를 각각 구하면

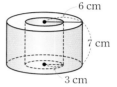

(i) (밑넓이)=$\pi \times 6^2 - \pi \times 3^2 = 27\pi$ (cm^2)

(옆넓이)=$(12\pi \times 7)+(6\pi \times 7)=126\pi$ (cm^2)

따라서 S=(밑넓이)×2+(옆넓이)=$27\pi \times 2+126\pi=180\pi$ (cm^2)

(ii) (큰 원기둥의 부피)=$V_1 = \pi \times 6^2 \times 7 = 252\pi$ (cm^3)

(작은 원기둥의 부피)=$V_2 = \pi \times 3^2 \times 7 = 63\pi$ (cm^3)

따라서 $V=V_1-V_2=252\pi-63\pi=189\pi$ (cm^3)

114

오른쪽 그림과 같이 큰 원기둥에서 작은 원기둥을 잘라 낸 모양의 입체도형의 겉넓이와 부피를 각각 구하려고 한다. 다음 빈칸에 알맞은 것을 써넣으시오.

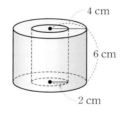

(1) 겉넓이 구하기

① (밑넓이)=$\pi \times 4^2 - \pi \times \boxed{}^2 = \boxed{}$ (cm^2)

② (옆넓이)

=(큰 기둥의 옆넓이)+(작은 기둥의 옆넓이)

=$8\pi \times 6 + \boxed{}\pi \times \boxed{} = \boxed{}$ (cm^2)

③ (입체도형의 겉넓이)=$\boxed{} \times 2 + \boxed{}$

=$\boxed{}$ (cm^2)

(2) 부피 구하기

① (큰 원기둥의 부피)=$\pi \times 4^2 \times \boxed{}$

=$\boxed{}$ (cm^3)

② (작은 원기둥의 부피)=$\pi \times \boxed{}^2 \times \boxed{}$

=$\boxed{}$ (cm^3)

③ (입체도형의 부피)=$\boxed{} - \boxed{}$

=$\boxed{}$ (cm^3)

115

☑8877-0277

오른쪽 그림과 같이 가운데 구멍이 뚫린 입체도형의 겉넓이와 부피를 각각 구하시오.

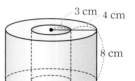

116

☑8877-0278

오른쪽 그림은 한 모서리의 길이가 10 cm인 정육면체에서 밑면의 반지름의 길이가 3 cm이고 높이가 10 cm인 원기둥 모양을 뚫은 것이다. 이 입체도형의 부피를 구하시오.

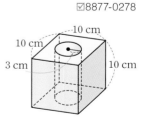

주어진 도형을 회전시킨 회전체를 그린 후 겉넓이와 부피를 각각 구한다.

예 오른쪽 그림과 같은 도형을 직선 l을 축으로 하여 1회전 시키면
원기둥에 원뿔 모양의 공간이 생긴다.

이 회전체의 겉넓이 S와 부피 V를 각각 구하면

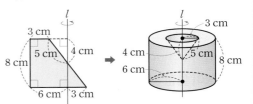

(i) (밑넓이) $=(\pi \times 6^2)+(\pi \times 6^2 - \pi \times 3^2)=63\pi \ (\text{cm}^2)$

(옆넓이) $=$ (원기둥의 옆넓이) $+$ (원뿔의 옆넓이)
$$=(2\pi \times 6)\times 8 + \pi \times 3 \times 5 = 111\pi \ (\text{cm}^2)$$

따라서 $S=63\pi + 111\pi = 174\pi \ (\text{cm}^2)$

(ii) (원기둥의 부피) $=\pi \times 6^2 \times 8 = 288\pi \ (\text{cm}^3)$

(원뿔의 부피) $=\dfrac{1}{3}\times \pi \times 3^2 \times 4 = 12\pi \ (\text{cm}^3)$

따라서 $V=288\pi - 12\pi = 276\pi \ (\text{cm}^3)$

117

오른쪽 그림과 같이 색칠한 부분을 직선 l을 축으로 하여 1회전 시킬 때 생기는 회전체의 겉넓이와 부피를 각각 구하려고 한다. 다음 빈칸에 알맞은 것을 써넣으시오.

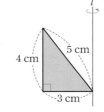

(1) 겉넓이 구하기

주어진 회전체는 원기둥에 ☐ 모양의 구멍이 있는 입체도형이다.

① (원기둥의 밑넓이) $=\pi \times \boxed{}^2 = \boxed{} \ (\text{cm}^2)$

② (회전체의 옆넓이)
$=$ (원기둥의 옆넓이) $+$ (원뿔의 옆넓이)
$=6\pi \times 4 + \pi \times 3 \times \boxed{} = \boxed{} \ (\text{cm}^2)$

③ (회전체의 겉넓이) $= \boxed{} + \boxed{}$
$= \boxed{} \ (\text{cm}^2)$

(2) 부피 구하기

① (원기둥의 부피) $=\pi \times \boxed{}^2 \times 4 = \boxed{} \ (\text{cm}^3)$

② (원뿔의 부피) $=\dfrac{1}{3}\times \pi \times \boxed{}^2 \times \boxed{}$
$= \boxed{} \ (\text{cm}^3)$

③ (회전체의 부피) $= \boxed{} - \boxed{}$
$= \boxed{} \ (\text{cm}^3)$

118

☑8877-0279

오른쪽 그림과 같이 색칠한 부분을 직선 l을 축으로 하여 1회전 시킬 때 생기는 입체도형의 부피를 구하시오.

119

☑8877-0280

오른쪽 그림과 같이 색칠한 부분을 직선 l을 축으로 하여 1회전 시킬 때 생기는 입체도형의 부피를 구하시오.

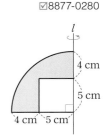

(1) 일부분을 잘라 낸 기둥의 겉넓이와 부피

　① (잘라 내고 남은 직육면체의 겉넓이)＝(잘라 내기 전의 직육면체의 겉넓이)

　② (잘라 내고 남은 직육면체의 부피)　↳ 잘라 낸 면을 평행이동하면 잘라 내기 전의 직육면체와 같다.

　　＝(잘라 내기 전의 직육면체의 부피)－(잘라 낸 직육면체의 부피)

(2) **직육면체에서 잘라 낸 각뿔의 부피**

　(잘라 낸 각뿔의 부피)＝(삼각뿔 B−AFC의 부피)

$$=\frac{1}{3}\times\triangle ABC\times\overline{BF}=\frac{1}{3}\times\triangle ABF\times\overline{BC}=\frac{1}{3}\times\triangle BFC\times\overline{AB}$$

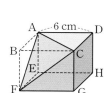

　예 오른쪽 그림은 한 모서리의 길이가 6 cm인 정육면체를 세 꼭짓점 A, C, F를 지나는

　　평면으로 잘라 내고 남은 부분이다. 남은 입체도형의 부피를 구하면

　　(잘라 낸 각뿔의 부피)＝$\frac{1}{3}\times\triangle ABC\times\overline{BF}=\frac{1}{3}\times\left(\frac{1}{2}\times6\times6\right)\times6=36$ (cm^3)

　　따라서

　　(남은 입체도형의 부피)＝(정육면체의 부피)－(잘라 낸 각뿔의 부피)

　　　　　　　　　　　　＝$6\times6\times6-36=180$ (cm^3)

120

☑8877-0281

아래 그림은 직육면체에서 작은 직육면체를 잘라 낸 입체도형이다. 다음을 구하시오.

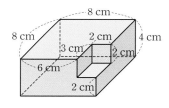

(1) 입체도형의 겉넓이

(2) 입체도형의 부피

121

☑8877-0282

오른쪽 그림과 같은 정육면체를 세 꼭짓점 B, G, D를 지나는 평면으로 잘랐더니 두 개의 입체도형이 생겼다. 부피가 큰 입체도형과 부피가 작은 입체도형의 부피의 비를 구하시오.

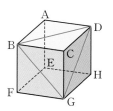

122

☑8877-0283

직육면체 모양의 물통에 가득 차 있던 물을 흘려 버리고 오른쪽과 같이 삼각뿔 모양만큼 물이 남았다. 흘려 버린 물의 부피를 구하시오.

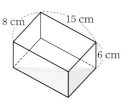

(원뿔 모양의 그릇에 물을 가득 채우는 데 걸리는 시간)$=\dfrac{(\text{원뿔의 부피})}{(1\text{분에 채워지는 물의 양})}$

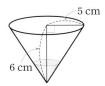

예 오른쪽 그림과 같이 밑면인 원의 반지름의 길이가 5 cm, 높이가 6 cm인 원뿔 모양의 빈 그릇에 1분에 5π cm³씩 물을 넣을 때

(원뿔의 부피)$=\dfrac{1}{3}\times\pi\times5^2\times6=50\pi$ (cm³)

이므로 (빈 그릇에 물을 가득 채우는 데 걸리는 시간)$=\dfrac{50\pi}{5\pi}=10$(분)

123

아래 그림과 같이 밑면인 원의 지름의 길이가 12 cm, 높이가 10 cm인 원뿔 모양의 빈 그릇에 1분에 12π cm³씩 물을 넣을 때, 물을 가득 채우는 데 걸리는 시간을 구하려고 한다. 다음 빈칸에 알맞은 것을 써넣으시오.

(단, 그릇의 두께는 생각하지 않는다.)

(1) (원뿔의 부피)$=\dfrac{1}{3}\times\pi\times\boxed{}^{\,2}\times\boxed{}$

$\qquad=\boxed{}$ (cm³)

(2) (원뿔 모양의 그릇을 가득 채우는 데 걸리는 시간)

$\quad=\dfrac{(\text{원뿔의 부피})}{(1\text{분에 채워지는 물의 양})}$

$\quad=\dfrac{\boxed{}}{12\pi}=\boxed{}$ (분)

124

☑8877-0284

오른쪽 그림과 같이 높이가 15 cm인 원뿔 모양의 그릇에 일정한 속도로 물을 넣는다고 할 때, 물의 높이가 5 cm가 되는 데 1분 걸렸다. 물이 가득 차려면 몇 분이 더 걸리겠는가?

(단, 그릇의 두께는 생각하지 않는다.)

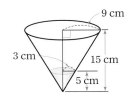

① 18분　　② 20분　　③ 22분

④ 24분　　⑤ 26분

125

☑8877-0285

오른쪽 그림과 같이 깔대기 모양의 그릇에 1분에 6π cm³씩 물을 넣을 때, 빈 그릇에 물을 가득 채우는 데 걸리는 시간을 구하시오. (단, 그릇의 두께는 생각하지 않는다.)

09

자료 정리와 해석

유형 09-1 표

표: 조사한 자료를 표로 나타낸 것
① 각 항목별 조사한 수를 쉽게 알 수 있다.
② 조사한 수의 합계를 알기 쉽다. → 유의점: 표로 나타낼 때, 합계가 맞는지 확인한다.

예

운동	축구	수영	야구	태권도	합계
학생 수(명)	32	22	30	16	100

→ 좋아하는 학생이 많은 운동부터 순서대로 쓰면 축구, 야구, 수영, 태권도이다.

가장 많은 학생들이 좋아하는 운동

➡ 다른 방법으로 표 나타내기

야구를 좋아하는 여학생과 남학생의 수는 같다.

운동	축구	수영	야구	태권도	합계
여학생 수(명)	8	18	15	9	50
남학생 수(명)	24	4	15	7	50

태권도를 좋아하는 여학생은 남학생보다 2명 많다.

가장 많은 여학생들이 좋아하는 운동

001

☑8877-0286

다음은 호빈이네 반 학생들이 좋아하는 과일을 조사하여 나타낸 것이다. 물음에 답하시오.

좋아하는 과일

이름	과일	이름	과일	이름	과일
은지	귤	동우	딸기	다현	딸기
명수	감	우현	포도	성종	감
나연	딸기	준호	귤	수지	귤
은성	감	호빈	딸기	연호	포도
정연	귤	미나	포도	성열	딸기

(1) 조사한 것을 보고 표로 나타내시오.

좋아하는 과일별 학생 수

과일	귤	딸기	감	포도	합계
학생 수(명)					

(2) 좋아하는 학생 수가 같은 과일을 구하시오.

(3) 가장 많은 학생들이 좋아하는 과일을 구하시오.

(4) 좋아하는 과일별 학생 수를 비교하는 데 조사한 자료와 표 중에서 어느 것이 더 편리한지 말하시오.

002

현이네 반 학생들이 반에서 1년 동안 채소를 키우기로 하였다. 키우고 싶은 채소를 조사하여 나타낸 것을 보고 표로 나타내시오.

키우고 싶은 채소

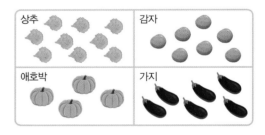

키우고 싶은 채소별 학생 수

채소	상추	감자	애호박	가지	합계
학생 수(명)					

그림그래프: 알려고 하는 수를 그림으로 나타낸 그래프 → 유의점: 간단한 그림으로 나타낸다.

① 자료의 특징에 알맞은 그림으로 나타내어 어떤 자료에 대한 내용인지 알기 쉽다.

② 항목별 조사한 수를 그림으로 비교하기 쉽다.

예 우리 반 학생들이 도서관에서 빌려온 책의 수

종류	책의 수
동화책	
과학책	
위인전	
백과사전	

→ 동화책을 좋아하는 학생들은 35명이다.

→ 우리 반 학생들은 동화책, 과학책, 위인전, 백과사전 순으로 도서관에서 책을 빌려왔다.

→ 학급도서를 구입한다면 우리 반 학생들이 가장 많이 빌려오는 동화책을 구입하는 것이 좋다.

📖 10권 📖 1권

↳ 조사한 수의 비교 − 큰 그림의 수가 많을수록 조사한 수가 많다.
− 큰 그림의 수가 같으면 작은 그림의 수가 많을수록 조사한 수가 많다.

003

☑8877-0287

다음은 선영이네 학교 1학년 학생들이 좋아하는 장난감을 조사하여 나타낸 표이다. 표를 보고 그림그래프를 완성하시오.

좋아하는 장난감별 학생 수

장난감	인형	로봇	딱지	팽이	합계
학생 수(명)	25	14	40	21	100

좋아하는 장난감별 학생 수

장난감	학생 수
인형	☺ ☺ ☺ ☺ ☺ ☺ ☺
로봇	☺ ☺ ☺ ☺ ☺
딱지	
팽이	

☺ 10명 ☺ 1명

004

☑8877-0288

다음은 마을별 단풍나무 수를 조사하여 나타낸 그림그래프이다. 물음에 답하시오.

단풍나무 수

마을	단풍나무 수
흰돌	🌳🌳🌳🌳🌳🌳
무지개	🌳🌳🌳🌳🌳
이슬	
별빛	🌳🌲🌲

 10그루 🌲 1그루

(1) 흰돌 마을의 단풍나무의 수를 구하시오.

(2) 이슬 마을에 있는 단풍나무 수는 무지개 마을에 있는 단풍나무 수의 반일 때, 그림그래프를 완성하시오.

(3) 흰돌 마을은 별빛 마을보다 단풍나무의 수가 얼마나 많은지 구하시오.

09 자료 정리와 해석

(1) **막대그래프**: 조사한 자료를 막대 모양으로 나타낸 그래프

예 우리 반 학생들이 좋아하는 과일의 수

→ 막대의 길이는 좋아하는 학생 수를 나타내므로 좋아하는 학생이 가장 많은 과일은 수박이다.
→ 사과와 포도를 좋아하는 학생 수는 같다.

(2) **표와 막대그래프의 장점 비교**

① 표는 전체 학생 수를 알아보는 데 편리하다.

② 막대그래프는 가장 많거나 적은 것을 한눈에 알아보기 쉽다.

005

☑8877-0289

다음은 시은이네 마을에서 일주일 동안 버려진 종류별 쓰레기 양을 조사하여 나타낸 막대그래프이다. 물음에 답하시오.

종류별 쓰레기 양

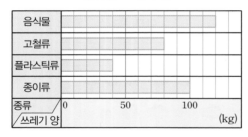

(1) 쓰레기 양이 플라스틱류의 2배인 종류를 구하시오.

(2) 쓰레기 양이 종이류보다 적은 종류를 모두 구하시오.

(3) 쓰레기 양이 가장 많은 종류는 가장 적은 종류보다 몇 kg 더 많은지 구하시오.

006

☑8877-0290

다음은 진우네 학교 1학년 학생들이 좋아하는 악기를 조사하여 나타낸 막대그래프이다. 물음에 답하시오.

좋아하는 악기별 학생 수

(1) 좋아하는 학생 수가 바이올린보다 많은 악기는 무엇인지 구하시오.

(2) 드럼을 좋아하는 학생이 6명일 때, 플루트를 좋아하는 학생 수를 구하시오.

(3) 위 막대그래프를 보고 표로 나타내어 보시오.

좋아하는 악기별 학생 수

악기	피아노	바이올린	드럼	플루트	합계
학생 수(명)					

(4) 좋아하는 학생 수가 드럼의 3배인 악기는 무엇인지 구하시오.

(5) 가장 많은 학생들이 좋아하는 악기와 가장 적은 학생들이 좋아하는 악기의 학생 수의 차는 몇 명인지 구하시오.

① 두 수를 나눗셈으로 비교할 때 기호 : 를 사용한다.
② 3 : 5는 3이 5를 기준으로 몇 배인지 나타내는 비이다.

예

$3 : 5$ ⇒
3 대 5
5에 대한 3의 비 ┐
3의 5에 대한 비 ┘ '~에 대한'이 붙는 수를 :의 오른쪽에 쓴다.
3 대 5로 읽는다.
3과 5의 비

참고 비를 비율로 나타낼 때는 분수와 소수로 나타낼 수 있다.
→ 비교하는 양을 기준량으로 나눈 값, (비율) = $\dfrac{(비교하는\ 양)}{(기준량)}$

예 비 3 : 5의 비율을 분수로 나타내면 $\dfrac{3}{5}$, 소수로 나타내면 0.6이다.

007
☑8877-0291

다음 비를 잘못 읽은 것은?

$$4 : 7$$

① 4 대 7
② 4에 대한 7의 비
③ 4와 7의 비
④ 4의 7에 대한 비
⑤ 7에 대한 4의 비

008
☑8877-0292

소민이네 모둠은 남학생이 3명, 여학생이 7명이다. 여학생 수의 남학생 수에 대한 비를 구하시오.

009

그림을 보고 전체에 대한 색칠한 부분의 비를 구하시오.

010
☑8877-0293

다음 그림을 보고 전체에 대한 색칠한 부분의 비율을 소수로 나타내시오.

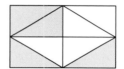

011

비를 비율로 바르게 나타낸 것끼리 선으로 연결하시오.

1 : 2	•	•	$\dfrac{3}{5}$	•	•	0.75
3 : 5	•	•	$\dfrac{1}{2}$	•	•	0.6
6 : 8	•	•	$\dfrac{3}{4}$	•	•	0.5

09 자료 정리와 해석

비율그래프: 백분율로 나타내어 전체에 대한 부분의 비율을 알아보기 편리하게 나타낸 그래프

학생들이 좋아하는 운동 → 배구, 테니스, 수영

운동	축구	농구	야구	기타	합계
학생 수(명)	8	5	4	3	20

축구: $\frac{8}{20} \times 100 = 40(\%)$, 농구: $\frac{5}{20} \times 100 = 25(\%)$,

야구: $\frac{4}{20} \times 100 = 20(\%)$, 기타: $\frac{3}{20} \times 100 = 15(\%)$

① 띠그래프: 전체에 대한 각 부분의 비율을 띠 모양으로 나타낸 그래프

학생들이 좋아하는 운동

| 0 10 20 30 40 50 60 70 80 90 100(%) |

| 축구 (40 %) | 농구 (25 %) | 야구 (20 %) | 기타 (15 %) |

→ 가장 많은 비율을 차지하는 항목은 축구이다.

→ 전체 학생 수가 40명일 때 축구를 좋아하는 학생 수는 $40 \times \frac{40}{100} = 16$(명)

② 원그래프: 전체에 대한 각 부분의 비율을 원 모양으로 나타낸 그래프

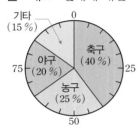

→ 축구는 40 %, 야구는 20 %이므로 축구의 비율은 야구의 비율의 2배이다.

→ 학생들이 좋아하는 운동 중 가장 높은 비율을 차지하는 것은 축구이다.

참고 띠그래프와 원그래프를 그릴 때에는 백분율의 합계가 100 %가 되는지 확인한다.

012

☑8877-0294

다음은 다은이네 학교 학생들이 좋아하는 계절을 조사하여 나타낸 띠그래프이다. 물음에 답하시오.

좋아하는 계절

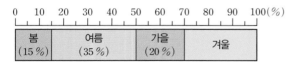

| 0 10 20 30 40 50 60 70 80 90 100(%) |

| 봄 (15 %) | 여름 (35 %) | 가을 (20 %) | 겨울 |

(1) 겨울을 좋아하는 학생의 비율을 구하시오.

(2) 가장 많은 학생들이 좋아하는 계절을 구하시오.

(3) 겨울을 좋아하는 학생은 봄을 좋아하는 학생의 몇 배인지 구하시오.

(4) 가을을 좋아하는 학생이 10명일 때, 전체 학생은 몇 명인지 구하시오.

013

☑8877-0295

오른쪽은 다육이네 마을의 곡물 생산량을 조사하여 나타낸 원그래프이다. 물음에 답하시오.

곡물 생산량

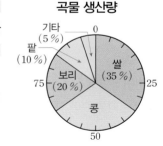

(1) 콩 생산량은 몇 %인지 구하시오.

(2) 콩 생산량은 팥 생산량의 몇 배인지 구하시오.

(3) 원그래프를 보고 띠그래프를 그리시오.

곡물 생산량

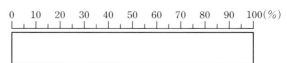

| 0 10 20 30 40 50 60 70 80 90 100(%) |

---

(1) **변량**: 나이, 키, 점수 등의 자료를 수량으로 나타낸 것

(2) **줄기와 잎 그림**: 줄기와 잎을 이용하여 자료를 나타낸 그림

(3) **줄기와 잎 그림을 그리는 방법**

① 가장 작은 변량과 가장 큰 변량을 찾아서 줄기와 잎으로 구분하기 ➡ ② 줄기의 값 쓰기 ➡ ③ 잎의 값 쓰기

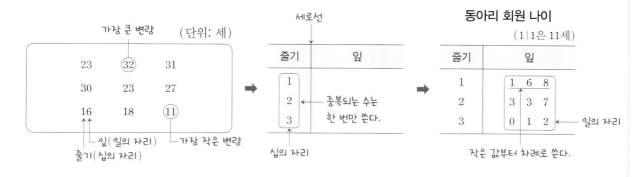

동아리 회원 나이

(1|1은 11세)

줄기	잎		
1	1	6	8
2	3	3	7
3	0	1	2

작은 값부터 차례로 쓴다.

[014~016] 다음은 어느 산악회 회원들의 나이를 조사한 자료이다. 물음에 답하시오.

(단위: 세)

22	24	48	36
23	34	47	32
56	44	52	38
49	46	40	49

014

☑8877-0296

줄기와 잎 그림을 완성하시오.

나이

(3|2는 32세)

줄기	잎			
2				
3	2	4	6	8
4				
5	2	6		

015

☑8877-0297

나이가 50세 이상인 사람은 전체의 몇 %인지 구하시오.

016

☑8877-0298

위의 줄기와 잎 그림에 대한 설명으로 옳지 <u>않은</u> 것은?

① 줄기는 4개이다.

② 줄기가 2인 잎은 3개이다.

③ 잎이 가장 많은 줄기는 4이다.

④ 잎이 가장 적은 줄기는 5이다.

⑤ 나이가 많은 쪽에서 5번째인 회원의 나이는 49세이다.

(1) **계급**: 변량을 일정한 간격으로 나눈 구간
   ① **계급의 크기**: 변량을 나눈 구간의 너비 ← 계급의 양 끝 값의 차로서 계급의 크기는 모두 같다.
   ② **계급의 개수**: 변량을 나눈 구간의 수
   ③ **계급값**: $(계급값) = \dfrac{(계급의\ 양\ 끝\ 값의\ 합)}{2}$
(2) **도수**: 각 계급에 속하는 자료의 개수
(3) **도수분포표**: 주어진 자료를 몇 개의 계급으로 나누고, 각 계급에 속하는 도수를 조사하여 나타낸 표
   ↳ 계급값, 계급의 크기, 도수는 항상 단위를 포함하여 쓴다.
   도수분포표는 자료의 개수가 많아도 자료의 분포 상태를 쉽게 알 수 있지만 각 계급에 속하는 자료의 정확한 값은 알 수 없다.
(4) **도수분포표 만드는 법**

① 가장 작은 변량, 가장 큰 변량 찾기 ➡ ② 계급의 개수, 계급의 크기 정하기 ➡ ③ 각 계급의 도수 구하기

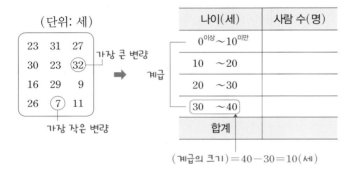

017

☑8877-0299

다음 중 도수분포표에 대한 설명으로 옳지 않은 것은?

① 변량을 일정한 간격으로 나눈 구간을 계급이라 한다.
② 변량을 나눈 구간의 너비를 계급의 크기라 한다.
③ 각 계급에 속하는 자료의 개수를 도수라 한다.
④ 각 계급의 가운데 값을 평균이라 한다.
⑤ 계급의 개수가 너무 많으면 자료 전체의 분포 상태를 알기 어렵다.

018

☑8877-0300

오른쪽 도수분포표는 어느 반 학생들의 1학기 동안 도서관에서 대출한 책의 수를 조사하여 나타낸 것이다. A의 값을 구하시오.

책의 수 (권)	학생 수 (명)
$0^{이상} \sim 4^{미만}$	3
$4 \sim 8$	A
$8 \sim 12$	14
$12 \sim 16$	7
합계	35

019

☑8877-0301

아래 도수분포표는 볼링반 학생 30명의 볼링 점수를 조사하여 나타낸 것이다. 다음 중 옳지 <u>않은</u> 것은?

볼링 점수(점)	학생 수(명)
$60^{이상} \sim 90^{미만}$	2
90 ~120	A
120 ~150	8
150 ~180	3
180 ~210	2
210 ~240	1
합계	30

① 계급의 크기는 30점이다.
② 계급의 개수는 6개이다.
③ A에 알맞은 수는 14이다.
④ 볼링 점수가 10번째로 높은 학생이 속한 계급은 120점 이상 150점 미만이다.
⑤ 볼링 점수가 180점 이상인 학생은 전체의 20 %이다.

020

☑8877-0302

아래 도수분포표는 어느 반 학생들의 하루 동안의 컴퓨터 사용 시간을 조사하여 나타낸 것이다. 다음을 구하시오.

사용 시간(분)	학생 수(명)
$0^{이상} \sim 20^{미만}$	2
20 ~40	13
40 ~60	10
60 ~80	5
합계	

(1) 계급의 수
(2) 도수의 총합
(3) 도수가 가장 큰 계급
(4) 컴퓨터 사용 시간이 27분인 학생이 속하는 계급의 도수

021

☑8877-0303

다음 표는 은지네 반 학생들의 턱걸이 기록을 조사하여 나타낸 것이다. 턱걸이 기록이 3회 이상 6회 미만인 학생이 전체의 40 %일 때, 물음에 답하시오.

턱걸이 기록(회)	학생 수(명)
$0^{이상} \sim 3^{미만}$	7
3 ~ 6	12
6 ~ 9	A
9 ~12	5
합계	

(1) 전체 학생 수를 구하시오.

(2) A의 값을 구하시오.

022

☑8877-0304

다음 도수분포표는 어느 반 학생의 키를 조사하여 나타낸 것이다. 물음에 답하시오.

키(cm)	학생 수(명)
$140^{이상} \sim 145^{미만}$	3
145 ~150	5
150 ~155	8
155 ~160	x
160 ~165	9
165 ~170	5
합계	y

(1) 145 cm 이상 150 cm 미만인 계급의 도수는 계급값 157.5 cm인 계급의 도수의 $\frac{1}{2}$일 때, $x+y$의 값을 구하시오.

(2) 키가 큰 쪽에서 10번째인 학생이 속한 계급의 계급값을 구하시오.

(1) **히스토그램**: 가로축에는 계급을, 세로축에는 도수를 표시하여 직사각형 모양으로 나타낸 그림

(2) **히스토그램 그리는 방법**

↳ 히스토그램(Histogram)은 '역사(History)'와 '그림(Diagram)'의 합성어

① 가로축에 각 계급의 양 끝 값, 세로축에 도수를 차례로 표시하기 ➡ ② 각 계급의 크기를 가로로 하고 도수를 세로로 하는 직사각형 그리기

도수분포표

수학 성적(점)	도수(명)
$60^{이상}$ ~ $70^{미만}$	5
70 ~ 80	9
80 ~ 90	13
90 ~ 100	8
합계	35

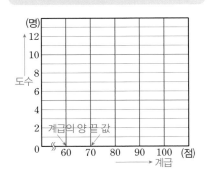

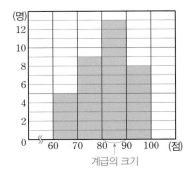

(3) **히스토그램의 특징**

① 도수분포표보다 도수의 분포 상태를 쉽게 알아볼 수 있다.

② 각 직사각형의 넓이는 각 계급의 도수에 정비례한다.

③ (직사각형의 넓이의 합) = {(각 계급의 크기) × (그 계급의 도수)}의 총합 = (계급의 크기) × (도수의 총합)

023

☑8877-0305

다음 중 히스토그램에 대한 설명으로 옳지 <u>않은</u> 것은?

① 가로축에 계급을 표시한다.

② 세로축에 도수를 표시한다.

③ 각 계급에 속하는 직사각형의 가로의 길이는 일정하다.

④ 직사각형의 세로의 길이는 그 계급의 도수에 정비례한다.

⑤ 직사각형의 넓이의 합은 도수의 총합과 같다.

024

☑8877-0306

아래 히스토그램은 어느 학급의 키를 조사하여 나타낸 것이다. 다음 물음에 답하시오.

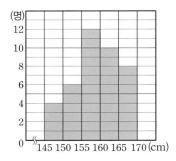

(1) 계급의 크기와 계급의 개수를 차례로 구하시오.

(2) 전체 학생 수를 구하시오.

(3) 도수가 가장 작은 계급의 계급값을 구하시오.

(4) 키가 큰 쪽에서부터 15번째인 학생이 속하는 계급을 구하시오.

(5) 키가 160 cm 이상 165 cm 미만인 학생은 전체의 몇 %인지 구하시오.

(1) **도수분포다각형**: 히스토그램을 이용하여 다음과 같은 방법으로 그린 그래프

히스토그램

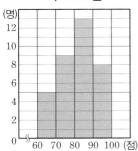

① 직사각형의 윗변의 중앙에 점 찍기

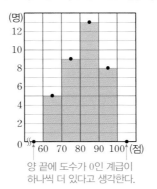

양 끝에 도수가 0인 계급이 하나씩 더 있다고 생각한다.

② 찍은 점을 선분으로 연결하기

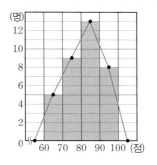

(2) **도수분포다각형의 특징**

① 자료의 분포 상태를 연속적으로 관찰할 수 있다.

② (도수분포다각형과 가로축으로 둘러싸인 부분의 넓이) = (히스토그램의 직사각형들의 넓이의 합)

③ 두 개 이상의 자료의 분포 상태를 서로 비교할 때 히스토그램보다 편리하다.

　특히 도수의 합이 같은 두 자료의 분포 상태를 비교할 때 편리하다.

025
☑8877-0307

다음 설명 중 옳은 것을 모두 고르면? (정답 2개)

① 도수분포표를 만들 때 계급의 크기는 작아야 좋다.

② 히스토그램을 그려야만 도수분포다각형을 그릴 수 있다.

③ 히스토그램의 직사각형의 넓이의 합은 도수분포다각형과 가로축으로 둘러싸인 부분의 넓이와 같다.

④ 도수분포다각형을 그릴 때 양 끝에 도수가 1인 계급을 추가한다.

⑤ 도수분포다각형을 그릴 때 히스토그램의 각 직사각형의 윗변의 중점을 연결한다.

026
☑8877-0308

오른쪽 그림은 어느 중학교에서 공 던지기 기록을 측정하여 만든 도수분포다각형이다. 다음 설명 중 옳은 것을 모두 고르면? (정답 2개)

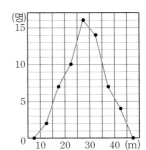

① 계급은 9개이다.

② 조사 대상 학생 수는 60명이다.

③ 도수가 가장 작은 계급의 계급값은 15 m이다.

④ 30 m 이상 40 m 미만을 던진 학생 수는 21명이다.

⑤ 20 m 미만을 던진 학생은 전체의 20 %이다.

유형 09-10 상대도수

(1) **상대도수**: 전체 도수에 대한 각 계급의 도수의 비율

$$(\text{어떤 계급의 상대도수}) = \frac{(\text{그 계급의 도수})}{(\text{도수의 총합})}$$

(2) **상대도수의 분포표**: 각 계급의 상대도수를 나타낸 표

(3) **상대도수의 특징**

① 상대도수의 총합은 항상 1이고, 상대도수는 0 이상 이고 1 이하인 수이다.

② 각 계급의 상대도수는 그 계급의 도수에 정비례한다.

③ 도수의 총합이 다른 두 집단의 분포 상태를 비교할 때 편리하다.

상대도수의 분포표

수학 성적(점)	도수(명)	상대도수
60이상 ~ 70미만	③	$\frac{3}{10}=0.3$
70 ~ 80	4	0.4
80 ~ 90	2	0.2
90 ~100	1	0.1
합계	⑩	①

상대도수를 소수로 나타내면 크기를 비교하는 데 편리하다.

상대도수의 총합은 항상 1이다.

027

☑8877-0309

오른쪽은 어느 가상현실체험 박람회 입장객의 관람 시간을 조사하여 만든 히스토그램이다. 관람 시간이 70분 이상 80분 미만인 계급의 상대도수를 구하시오.

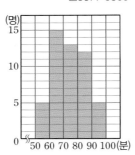

028

☑8877-0310

재성이네 학교 1학년 학생 50명의 몸무게를 조사한 표에 서 35 kg 이상 40 kg 미만인 계급의 상대도수는 0.18이 다. 이 계급에 속한 학생 수를 구하시오.

029

☑8877-0311

다음은 어느 반 학생들의 멀리뛰기 기록을 조사하여 나타 낸 표이다. 물음에 답하시오.

기록(cm)	학생 수(명)	상대도수
140이상~160미만	2	0.08
160 ~180	7	0.28
180 ~200	6	0.24
200 ~220		0.20
220 ~240		
240 ~260		0.04
합계		1

(1) 전체 학생 수를 구하시오.

(2) 멀리뛰기 기록이 220 cm 이상 240 cm 미만인 학생 수를 구하시오.

(3) 멀리뛰기 기록이 220 cm 이상인 학생은 전체의 몇 %인지 구하시오.

(4) 멀리뛰기 기록이 좋은 쪽에서 7번째인 학생이 속한 계급의 도수를 구하시오.

(1) **상대도수의 분포를 나타낸 그래프**

　상대도수의 분포표를 히스토그램이나 도수분포다각형과 같은 모양으로 나타낸 그래프

(2) **상대도수의 분포를 나타낸 그래프를 그리는 방법**

　① 가로축에는 각 계급의 양 끝 값을 차례로 표시한다.

　② 세로축에는 상대도수를 차례로 표시한다.

　③ 히스토그램이나 도수분포다각형과 같은 모양으로 그린다.

　참고 상대도수의 총합은 항상 1이므로 상대도수의 분포를 나타낸 그래프와 가로축으로
　　둘러싸인 부분의 넓이는 계급의 크기와 같다.

상대도수의 분포를 나타낸 그래프

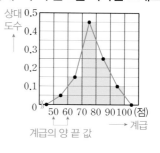

(3) **도수의 총합이 다른 두 자료의 비교**

　① 각 계급의 도수를 그대로 비교하지 않고 상대도수를 구하여 각 계급별로
　비교한다.

　② 두 자료의 그래프를 함께 나타내어 보면 두 자료의 분포 상태를 한눈에 비교할 수 있다.

　예 오른쪽 그래프는 어느 중학교 1학년 남학생과 여학생의 100 m 달리기 기록에 대한 상대
　도수의 분포를 함께 나타낸 것이다.

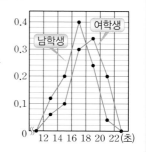

여학생에 대한 그래프가 남학생에 대한 그래프보다 전체적으로 오른쪽으로 →
치우쳐 있으므로 100 m를 달리는 데 걸리는 시간은 여학생이 남학생보다 더
오래 걸린다고 할 수 있다.

030

오른쪽 그래프는 민속놀이 대회에서 제기차기에 참가한 선수들의 기록에 대한 상대도수의 분포를 나타낸 것이다. 상대도수가 가장 작은 계급의 도수가 4명일 때, 제기차기 기록이 40회 이상 50회 미만인 학생 수를 구하시오.

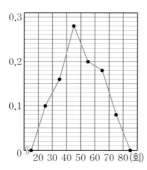

031

☑8877-0312

다음 그래프는 어느 중학교 1학년 전체 학생들의 수학 성취도 평가 점수에 대한 상대도수의 분포를 나타낸 것이다. 물음에 답하시오.

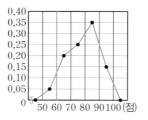

(1) 평가 점수가 60점 미만인 학생이 10명일 때, 전체 학생 수를 구하시오.

(2) 평가 점수가 70점 이상 80점 미만인 학생 수를 구하시오.

032

☑8877-0313

오른쪽 그래프는 어느 중학교 1학년 학생 50명의 충치 수에 대한 상대도수의 분포를 나타낸 것이다. 도수가 가장 큰 계급의 도수를 구하시오.

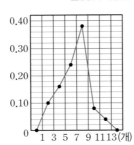

[033~034] 오른쪽 그래프는 어느 반 학생들의 일주일 동안의 가족과의 대화 시간에 대한 상대도수의 분포를 나타낸 것이다. 다음 물음에 답하시오.

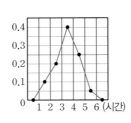

033

☑8877-0314

가족과의 대화 시간이 1시간 이상 4시간 미만인 학생은 전체의 몇 %인가?

① 50 %   ② 60 %   ③ 65 %
④ 70 %   ⑤ 75 %

034

☑8877-0315

전체 학생 수가 40명일 때, 가족과의 대화 시간이 4시간 이상 6시간 미만인 학생은 몇 명인가?

① 12명   ② 13명   ③ 14명
④ 15명   ⑤ 16명

035

☑8877-0316

아래 그래프는 어느 중학교 1학년 학생 50명의 키에 대한 상대도수의 분포를 나타낸 것이다. 다음 설명 중 옳은 것은?

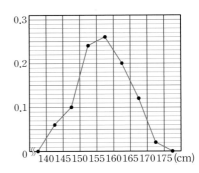

① 상대도수가 가장 큰 계급은 150 cm 이상 155 cm 미만이다.
② 상대도수가 클수록 도수는 작다.
③ 도수의 총합은 상대도수의 총합과 같다.
④ 키가 165 cm 이상인 학생은 전체의 14 %이다.
⑤ 키가 150 cm 이상 160 cm 미만인 학생은 20명이다.

036

☑8877-0317

오른쪽 그래프는 A, B 두 중학교 1학년 학생들의 수학 성적에 대한 상대도수의 분포를 함께 나타낸 것이다. 다음 중 옳지 않은 것은?

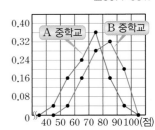

① 성적이 좋은 학생은 B 중학교가 A 중학교보다 상대적으로 더 많은 편이다.
② B 중학교에서 70점 미만인 학생은 B 중학교 전체의 20 %이다.
③ 미진이의 성적이 82점일 때, 미진이는 A 중학교에서 상위 20 % 이내에 든다.
④ B 중학교 학생이 100명일 때, 계급값이 65점인 계급에 속하는 학생 수는 15명이다.
⑤ 각각의 상대도수의 그래프와 가로축으로 둘러싸인 부분의 넓이는 같다.

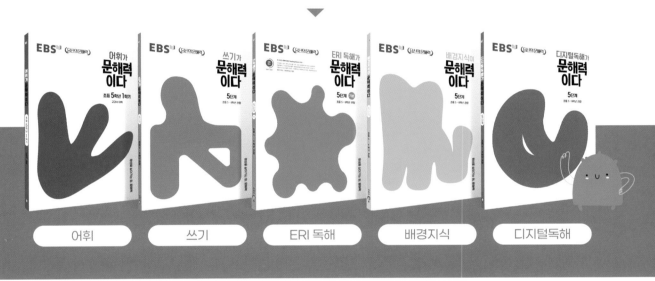

중|학|도|역|시 **EBS**

시작은
든든하게

예·비·중1·을·위·한

EBS중학
신 입 생
예비과정

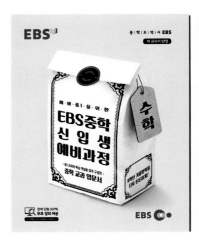

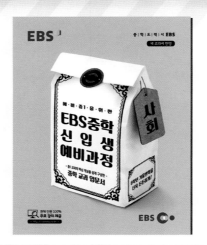

새 학년! 내신 성적 향상을 위한
최고의 **단기 완성 교재**와 함께 준비하자!

30일 수학 하

정답과 풀이

교육과정을 반영한 수학의 기본

초·중 수학의 맥을 잡는 **"30일"**

- 수학 개념 단기 보충 특강
- 취약점 보완을 위한 긴급 학습

EBS 30일 수학

하

정답과 풀이

한눈에 보는 정답

본문 8~30쪽

06 기본 도형과 작도

001 ㄴ → ㄱ → ㄷ   002 ㉠   003 4 cm
004 그림은 풀이 참조, ㄹ   005 145°
006 풀이 참조   007 (1) 65° (2) 55°
008 (1) 105° (2) 95°   009 ㄷ → ㄹ → ㄱ → ㄴ
010 78°   011 (1) 변 AD, 변 BC   (2) 변 BC
012 140°   013 12 cm   014 ⑤
015 가와 라, 다와 바
016 (1) 점 E (2) 8 cm (3) 30°   017 31 cm
018 60°   019 ⑤   020 (1) 점 B (2) $\overline{CD}$
021 2   022 ④   023 3개   024 ②   025 ②
026 (1) ㅂ, ㅅ (2) ㅇ (3) ㅁ
027 (1) 4 (2) $\frac{1}{3}$ (3) $\frac{3}{4}$ 028 8 cm
029 (1) 4 (2) 4 (3) $\frac{2}{3}$ 030 25 cm
031 ③   032 ③   033 35°   034 34°   035 ③
036 ∠x=140°, ∠y=40°   037 20°   038 ⑤
039 85°   040 (1) 점 O (2) $\overline{CO}$ 041 1 cm   042 ④
043 ④   044 ③   045 ④
046 $\overleftrightarrow{AB}$, $\overleftrightarrow{AF}$, $\overleftrightarrow{CD}$, $\overleftrightarrow{DE}$
047 $\overline{CG}$, $\overline{DH}$, $\overline{EH}$, $\overline{FG}$ 048 ③, ④
049 ③   050 ⑤   051 (1) ㄷ (2) ㄴ (3) ㄱ
052 ④   053 ⑤
054 (1) 면 ABCDE, 면 FGHIJ
(2) $\overline{AF}$, $\overline{BG}$, $\overline{CH}$, $\overline{DI}$, $\overline{EJ}$
055 ⑤   056 80°   057 10   058 220°
059 180°   060 110°   061 ③   062 10°   063 ⑤
064 70°   065 ④   066 m과 n
067 (1) ㄱ (2) ㄴ (3) ㄴ
068 ㉠ P ㉡ $\overline{AB}$ ㉢ P, $\overline{AB}$, Q
069 ㉢ → ㉠ → ㉡

070 ㉢ → ㉡ → ㉠
071 ㉡ → ㉠ → ㉢ → ㉣ → ㉤
072 (1) $\overline{OB}$, $\overline{PC}$, $\overline{PD}$ (2) ∠DPC   073 ③
074 (1) 9 cm (2) 8 cm (3) 40°   075 ④   076 ①
077 2개   078 9개   079 ①, ③   080 ③, ④
081 c, b 082 ㄱ, ㄴ, ㄹ
083 ㉡ → ㉠ → ㉣ → ㉢ → ㉤ 또는 ㉡ → ㉣ → ㉠ → ㉢ → ㉤
또는 ㉠ → ㉡ → ㉣ → ㉢ → ㉤ 또는 ㉣ → ㉡ → ㉠ → ㉢ → ㉤
084 ③   085 4개   086 (1) × (2) ○
087 ⑤   088 ②, ⑤ 089 4쌍   090 ④

본문 32~52쪽

07 평면도형의 성질

001 (1) 변 (2) 다각형 (3) 꼭짓점
002 (1) 나, 다, 마, 바, 사 (2) 가, 라, 아
003 (1) 삼각형 (2) 오각형
004 (1) 변의 개수: 8개, 꼭짓점의 개수: 8개
(2) 변의 개수: 10개, 꼭짓점의 개수: 10개   005 ⑤
006 (1) 나 (2) 나, 사 (3) 나, 라, 바 (4) 나
007 20 cm   008 ④   009 ①, ④
010 ⑤   011 4 cm
012 (1) 가, 나, 마, 바, 아 (2) 나
013 8 cm   014 십삼각형
015 (1) 팔각형 (2) 5개 (3) 6개 (4) 8개
016 (1) 십사각형 (2) 11개   017 ①, ⑤
018 ㈎ 7 ㈏ 4 ㈐ 14   019 ④
020 35개   021 ②   022 14번
023 (1) 내각 (2) 외각   024 (1) 50° (2) 93°
025 55°   026 175°   027 (1) 50° (2) 120°
028 165°   029 75°   030 135°
031 (1) 80° (2) 21°   032 40°   033 24°
034 45°, 60°, 75°   035 95°
036 (1) 122° (2) 50°   037 69°
038 (1) 45° (2) 130°   039 105°   040 80°

041 80° 042 124° 043 100°

044 37° 045 96° 046 42° 047 36°

048 24° 049 ② 050 105°

051 (1) 1080° (2) 1800°

052 (1) 95° (2) 141° 053 268° 054 ③ 055 ⑤

056 102° 057 ③ 058 ④ 059 15° 060 ④

061 ③, ⑤ 062 (1) 144° (2) 150° 063 정팔각형

064 60° 065 (1) 60° (2) 20° 066 1260°

067 ㄱ, ㄷ 068 (1) ㄴ (2) ㄱ (3) ㄷ (4) ㄹ

069 4개 070 ㅁ, ㅂ 071 180°

072 (1) 12 (2) 9 (3) 40 (4) 10

073 (1) $x=5$, $y=90$ (2) $x=320$, $y=160$

074 ②, ③ 075 80° 076 120° 077 14π cm^2

078 32 cm 079 ②, ⑤ 080 ①, ⑤

081 32 cm 082 5 : 2 083 30 cm

084 ⑤ 085 40° 086 28 cm

087 $l=10\pi$ cm, $S=25\pi$ cm^2

088 원 O$_1$의 넓이: 36π cm^2, 원 O$_2$의 넓이: 144π cm^2

089 15π m

090 둘레의 길이: 16π cm, 넓이: 32π cm^2

091 둘레의 길이: 20π cm, 넓이: 50π cm^2

092 10π cm

093 (1) 135π cm^2 (2) 24π cm^2

094 (1) $x=\dfrac{27}{2}\pi$ (2) $y=\dfrac{8}{3}\pi$

095 둘레의 길이: $(4\pi+24)$ cm, 넓이: 24π cm^2

096 동호, $\dfrac{5}{2}\pi$ cm^2 097 15000원

098 (1) 8π cm^2 (2) 5π cm^2

099 둘레의 길이: 12π cm, 넓이: $(144-36\pi)$ cm^2

100 둘레의 길이: 14π cm, 넓이: 12π cm^2

101 (1) 둘레의 길이: $(10\pi+10)$ cm, 넓이: $\dfrac{25}{2}\pi$ cm^2

(2) 둘레의 길이: $(28+7\pi)$ cm, 넓이: $\left(98-\dfrac{49}{2}\pi\right)$cm^2

102 32 103 $450\pi-60$ 104 16π

105 $\left(\dfrac{85}{3}\pi+14\right)$ cm 106 $(100+50\pi)$ cm^2

107 $24+24\pi$ 108 $(50\pi-100)$ cm^2

109 16π cm

---

08 입체도형의 성질

001 ㄱ, ㄴ, ㄹ 002 ④ 003 직육면체

004 ㄱ, ㄹ 005 (1) 4개 (2) 3쌍

(3) 면 ABCD, 면 BFGC, 면 EFGH, 면 AEHD

006 36 cm 007 6, 정육면체

008 (1) 가, 다, 마 (2) 마 009 ④

010 (1) 3, 3 (2) 9, 3 (3) 7, 1

011 ㉠ 5, ㉡ 4, ㉢ 8

012 (1) 전개도 (2) 점선, 실선 (3) 3 (4) C, K

(5) HI (6) BEFM

013 (1) 면 마 (2) 면 나, 면 다, 면 라, 면 바

(3) 선분 HI 014 풀이 참조

015 풀이 참조 016 풀이 참조

017 ② 018 8 019 18 cm

020 (1) 사각기둥 (2) 칠각기둥 021 ④

022 (1) 풀이 참조 (2) 5개

023 (1) 삼각기둥 (2) 면 GHF

024 팔각기둥 025 ⑤ 026 ①, ④

027 (1) 삼각기둥 (2) 33 cm 028 ②

029 ㉠ 4, ㉡ 2, ㉢ 7 030 6개 031 ㄹ

032 각뿔의 꼭짓점, 높이 033 ②

034 ①, ⑤ 035 ④

036 (1) × (2) ◯ (3) × (4) ◯ (5) ◯

037 ④ 038 ③ 039 25

040 (1) × (2) ◯ (3) × 041 정십이면체

042 ④ 043 ② 044 ③ 045 풀이 참조

046 ③, ④ 047 ①, ④ 048 구 049 ③, ⑤

050 ②, ⑤ 051 ㄱ, ㄹ, ㅁ, ㅇ 052 ④

053 풀이 참조 054 ㄷ, ㄹ 055 ②, ④

056 ㄱ, ㄷ 057 풀이 참조

058 (1) ㄴ (2) 45π cm^2 (3) 100 cm^2

059 (1) 10π cm (2) 5 cm

060 $(20+20\pi)$ cm 061 ②

062 (1) $a=3$, $b=4$, $c=7$ (2) 96 cm^2

063 94 cm^2　　　　**064** 352 cm^2

065 5 cm　**066** ⑤　　**067** $104\pi \text{ cm}^2$

068 $168\pi \text{ cm}^2$　　　　**069** $66\pi \text{ cm}^2$

070 6　　　**071** $h=6 \text{ cm}$, 겉넓이: $32\pi \text{ cm}^2$

072 $\dfrac{2}{3}\pi$　**073** $a=7$, $b=4$, 겉넓이: 72 cm^2

074 (1) 384 cm^2　(2) 105 cm^2　　**075** 7

076 360 cm^2　　　　**077** 132 cm^2

078 (1) $33\pi \text{ cm}^2$　(2) $90\pi \text{ cm}^2$　　**079** $28\pi \text{ cm}^2$

080 $45\pi \text{ cm}^2$　　　　**081** 10 cm

082 $160\pi \text{ cm}^2$　　　　**083** $52\pi \text{ cm}^2$

084 (1) 178 cm^2　(2) $152\pi \text{ cm}^2$

085 (1) $40\pi \text{ cm}^2$　(2) $96\pi \text{ cm}^2$　(3) $136\pi \text{ cm}^2$

086 (1) 18개　(2) 18 cm^3　　　　**087** 250 cm^3

088 36 cm^3　　　　**089** 90 cm^3

090 15 cm　　　　**091** ④

092 (1) $112\pi \text{ cm}^3$　(2) $360\pi \text{ cm}^3$　**093** $150\pi \text{ cm}^3$

094 7　　**095** 3 cm　　**096** ①　　**097** $324\pi \text{ cm}^3$

098 (1) 80 cm^3　(2) $147\pi \text{ cm}^3$　　**099** ①

100 $30\pi \text{ cm}^3$　　　　**101** 18

102 (1) 56 cm^3　(2) 130 cm^3

103 (1) $\dfrac{485}{3}\pi \text{ cm}^3$　(2) $84\pi \text{ cm}^3$

104 $112\pi \text{ cm}^3$　　　　**105** $752\pi \text{ cm}^3$

106 (1) 겉넓이: $324\pi \text{ cm}^2$, 부피: $972\pi \text{ cm}^3$

(2) 겉넓이: $100\pi \text{ cm}^2$, 부피: $125\pi \text{ cm}^3$

(3) 겉넓이: $108\pi \text{ cm}^2$, 부피: $144\pi \text{ cm}^3$

(4) 겉넓이: $200\pi \text{ cm}^2$, 부피: $\dfrac{1000}{3}\pi \text{ cm}^3$

107 겉넓이: 4배, 부피: 8배

108 $720\pi \text{ cm}^3$　　　　**109** 5 cm

110 반지름의 길이: 9 cm , 부피: $972\pi \text{ cm}^3$

111 (1) 5, 10, 250π　(2) 5, $\dfrac{500}{3}\pi$　(3) 5, 10, $\dfrac{250}{3}\pi$

(4) 3, 2, 1　**112** 구의 부피: $\dfrac{32}{3}\pi \text{ cm}^3$,

원뿔의 부피: $\dfrac{16}{3}\pi \text{ cm}^3$, 원기둥의 부피: $16\pi \text{ cm}^3$

113 구의 부피: $50\pi \text{ cm}^3$, 원뿔의 부피: $25\pi \text{ cm}^3$

114 (1) ① 2, 12π　② 4, 6, 72π　③ 12π, 72π, 96π

(2) ① 6, 96π　② 2, 6, 24π　③ 96π, 24π, 72π

115 겉넓이: $240\pi \text{ cm}^2$, 부피: $320\pi \text{ cm}^3$

116 $(1000-90\pi) \text{ cm}^3$

117 (1) 원뿔, ① 3, 9π　② 5, 39π　③ 9π, 39π, 48π

(2) ① 3, 36π　② 3, 4, 12π　③ 36π, 12π, 24π

118 $78\pi \text{ cm}^3$　　　　**119** $361\pi \text{ cm}^3$

120 (1) 256 cm^2　(2) 244 cm^3　　**121** $5:1$

122 600 cm^3

123 (1) 6, 10, 120π　(2) 120π, 10

124 ⑤　　　　**125** 54분

⑨ 09 자료 정리와 해석

001 (1) 풀이 참조　(2) 감, 포도　(3) 딸기　(4) 표

002 풀이 참조　　　　**003** 풀이 참조

004 (1) 33그루　(2) 풀이 참조　(3) 21그루

005 (1) 고철류　(2) 고철류, 플라스틱류　(3) 80 kg

006 (1) 피아노　(2) 10명　(3) 풀이 참조　(4) 바이올린

(5) 16명　　**007** ②　　**008** $7:3$　**009** $5:8$

010 0.5　　**011** 풀이 참조

012 (1) 30%　(2) 여름　(3) 2배　(4) 50명

013 (1) 30%　(2) 3배　(3) 풀이 참조

014 풀이 참조　　　　**015** 12.5%　　　**016** ⑤

017 ④　　**018** 11　　**019** ⑤

020 (1) 4개　(2) 30명　(3) 20분 이상 40분 미만

(4) 13명　　**021** (1) 30명　(2) 6

022 (1) 50　(2) 162.5 cm　　　　**023** ⑤

024 (1) 5 cm, 5개　(2) 40명　(3) 147.5 cm

(4) 160 cm 이상 165 cm미만　(5) 25%

025 ③, ⑤　　　　　**026** ②, ④

027 0.26　　　　**028** 9명

029 (1) 25명　(2) 4명　(3) 20%　(4) 5명

030 14명　　　　**031** (1) 200명　(2) 50명

032 19명　**033** ④　　**034** ①　　**035** ④　　**036** ④

06 기본 도형과 작도

001 답 ㄴ → ㄱ → ㄷ

ㄴ. 원의 중심 정하기

ㄱ. 컴퍼스를 원의 반지름의 길이만큼 벌리기

ㄷ. 원 그리기

따라서 그리는 순서는 ㄴ → ㄱ → ㄷ이다.

002 답 ㉠

컴퍼스의 침과 연필심 사이의 길이가 3 cm가 되도록 벌려야 하므로 ㉠이다.

003 답 4 cm

컴퍼스를 사용하여 원을 그릴 때, 컴퍼스의 침과 연필심 사이의 길이는 원의 반지름의 길이가 된다.

따라서 그린 원의 반지름의 길이는 4 cm이다.

004 답 그림은 풀이 참조, ㄹ

그림에서 컴퍼스의 침을 꽂아야 할 곳을 표시하면 다음 그림과 같다. 따라서 침을 가장 많이 꽂아야 하는 것은 ㄹ이다.

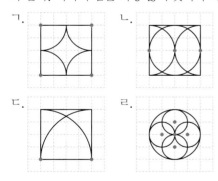

005 답 145°

반직선 OA와 반직선 OB가 이루는 각 AOB의 크기는 145°이다.

006 답 풀이 참조

(1)
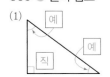

(2)
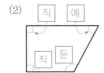

007 답 (1) 65° (2) 55°

(1) $40° + 25° = 65°$

(2) $85° - 30° = 55°$

008 답 (1) 105° (2) 95°

(1) $42° + 63° = 105°$

(2) $200° - 105° = 95°$

009 답 ㄷ → ㄹ → ㄱ → ㄴ

ㄷ.
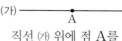
(가) 위에 점 A를
찍는다.

직선 (가) 위에 점 A를 찍는다.

ㄹ.

각도기의 중심을 점 A에 맞추고 각도기의 밑금을 직선 (가)와 일치하도록 맞춘다.

ㄱ.
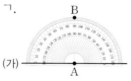
각도기에서 90°가 되는 눈금 위에 점 B를 찍는다.

ㄴ.
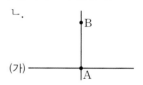
점 A와 점 B를 직선으로 잇는다.

010 답 78°

선분 EB는 선분 BD에 대한 수선이므로 두 선분이 이루는 각의 크기는 90°이다.

따라서 (각 ABE) $= 180° - 90° - 12° = 78°$

011 답 (1) 변 AD, 변 BC (2) 변 BC

(1) 변 AB는 변 AD, 변 BC와 각각 수직으로 만난다.

(2) 변 AD와 변 BC는 평행하다.

012 답 140°

종이를 접었을 때, 접힌 부분의 각의 크기는 접은 부분의 각의 크기와 같으므로

(각 GEI) $=$ (각 DEI) $= 20°$

(각 AEF) $= 180° - (20° + 20°) = 140°$

사각형 ABFE에서

(각 EFB) $= 360° - (140° + 90° + 90°) = 40°$

따라서 (각 EFH) $= 180° - 40° = 140°$

본문 8~30쪽

013 🈺 12 cm

한 변에 수직인 두 변은 서로 평행하므로 변 AD와 변 BC
는 평행하다.

따라서 변 AD와 변 BC에 수직인 변 CD의 길이는 평행선
사이의 거리이므로 12 cm이다.

014 🈺 ⑤

합동인 도형은 포개었을 때 완전히 겹쳐지므로 ⑤이다.

015 🈺 가와 라, 다와 바

포개었을 때 완전히 겹쳐지는 두 도형을 찾으면 가와 라, 다
와 바이다.

016 🈺 (1) 점 E (2) 8 cm (3) 30°

(1) 합동인 두 도형을 완전히 포개었을 때 겹쳐지는 점이 대
  응점이므로 점 C의 대응점은 점 E이다.

(2) 합동인 두 도형의 포개어지는 변의 길이는 같으므로 변
  DF의 길이는 변 AB의 길이와 같다.

  따라서 8 cm이다.

(3) 합동인 두 도형의 포개어지는 각의 크기는 같으므로 각
  BAC의 크기는 각 FDE의 크기와 같다.

  따라서 30°이다.

017 🈺 31 cm

두 사각형이 합동이므로

(변 EF) = (변 BC) = 9 cm,

(변 GH) = (변 AD) = 5 cm

따라서

(사각형 EFGH의 둘레의 길이) = 5 + 7 + 9 + 10

$\qquad\qquad\qquad\qquad\qquad$ = 31 (cm)

018 🈺 60°

(각 AFE) = 180° − 40° = 140°이다.

삼각형 ADF와 삼각형 EDF는 합동이므로

(각 AFD) = (각 EFD) = $140° \times \dfrac{1}{2}$ = 70°

따라서 삼각형 ADF에서

(각 ADF) = 180° − 50° − 70° = 60°

019 🈺 ⑤

⑤ 면과 면이 만나서 생기는 선은 교선이며, 직선과 곡선이
  있다.

020 🈺 (1) 점 B (2) $\overline{\text{CD}}$

(1) 선과 선이 만나서 생기는 점이 교점이므로 모서리 AB와
  모서리 BC가 만나는 점 B가 교점이다.

(2) 면과 면이 만나서 생기는 선이 교선이므로 면 ACD와 면
  BCD의 교선은 모서리 CD이다.

021 🈺 2

(교점의 개수) = (꼭짓점의 개수) = 8 (개)이므로 $a = 8$

(교선의 개수) = (모서리의 개수) = 12 (개)이므로 $b = 12$

면의 개수는 6개이므로 $c = 6$

따라서 $a − b + c = 8 − 12 + 6 = 2$

022 🈺 ④

④ 면 AEHD와 면 EFGH의 교선은 $\overline{\text{EH}}$이다.

⑤ 교점의 개수는 8개, 교선의 개수는 12개이므로 그 합은
  20개이다.

023 🈺 3개

세 점을 A, B, C라 하면 직선은 $\overleftrightarrow{\text{AB}}$, $\overleftrightarrow{\text{BC}}$, $\overleftrightarrow{\text{CA}}$의 3개이다.

024 🈺 ②

② 시작점과 방향이 각각 같아야 같은 반직선이다.

025 🈺 ②

② 시작점과 방향이 각각 같으므로 같은 반직선이다.

026 🈺 (1) ㅂ, ㅅ (2) ㅇ (3) ㅁ

(1) 한 직선 위의 두 점을 지나는 직선은 모두 같은 직선이므
  로 ㅂ, ㅅ이다.

(2) 시작점과 방향이 각각 같으면 같은 반직선이므로 ㅇ이다.

(3) 양 끝 점이 같은 선분은 서로 같으므로 ㅁ이다.

027 🈺 (1) 4 (2) $\dfrac{1}{3}$ (3) $\dfrac{3}{4}$

점 M은 $\overline{\text{AB}}$의 중점이므로 $\overline{\text{AM}} = \overline{\text{MB}} = \dfrac{1}{2}\overline{\text{AB}}$,

점 C, D는 각각 $\overline{\text{AM}}$, $\overline{\text{MB}}$의 중점이므로

$\overline{\text{AC}} = \overline{\text{CM}} = \overline{\text{MD}} = \overline{\text{DB}}$이다.

(1) $\overline{\text{AB}} = 4\overline{\text{CM}}$

  따라서 $\square = 4$

(2) $\overline{\text{AC}} = \dfrac{1}{3}\overline{\text{AD}}$

따라서 $\square=\dfrac{1}{3}$

(3) $\overline{\mathrm{AD}}=3\overline{\mathrm{AC}}=3\times\left(\dfrac{1}{4}\overline{\mathrm{AB}}\right)=\dfrac{3}{4}\overline{\mathrm{AB}}$

따라서 $\square=\dfrac{3}{4}$

028 ❓ 8 cm

$\overline{\mathrm{MN}}=\overline{\mathrm{MC}}+\overline{\mathrm{CN}}=\dfrac{1}{2}\overline{\mathrm{AC}}+\dfrac{1}{2}\overline{\mathrm{CB}}$

$\qquad=\dfrac{1}{2}(\overline{\mathrm{AC}}+\overline{\mathrm{CB}})=\dfrac{1}{2}\overline{\mathrm{AB}}$

$\qquad=\dfrac{1}{2}\times16=8\,(\mathrm{cm})$

029 ❓ (1) 4　(2) 4　(3) $\dfrac{2}{3}$

(1) $\overline{\mathrm{AB}}=\dfrac{1}{3}\overline{\mathrm{AD}}=\dfrac{1}{3}\times12=4\,(\mathrm{cm})$

(2) $\overline{\mathrm{AB}}=\overline{\mathrm{BC}}=\overline{\mathrm{CD}}=\dfrac{1}{3}\overline{\mathrm{AD}}=\dfrac{1}{3}\times12=4\,(\mathrm{cm})$

$\overline{\mathrm{LM}}=\overline{\mathrm{LB}}+\overline{\mathrm{BM}}=\dfrac{1}{2}\overline{\mathrm{AB}}+\dfrac{1}{2}\overline{\mathrm{BC}}$

$\qquad=\dfrac{1}{2}\overline{\mathrm{AC}}=\dfrac{1}{2}\times8=4\,(\mathrm{cm})$

(3) $\overline{\mathrm{LN}}=\dfrac{1}{2}\overline{\mathrm{AB}}+\overline{\mathrm{BC}}+\dfrac{1}{2}\overline{\mathrm{CD}}$

$\qquad=\dfrac{1}{2}\overline{\mathrm{AB}}+\overline{\mathrm{AB}}+\dfrac{1}{2}\overline{\mathrm{AB}}=2\overline{\mathrm{AB}}$

$\qquad=2\times\dfrac{1}{3}\overline{\mathrm{AD}}=\dfrac{2}{3}\overline{\mathrm{AD}}$

030 ❓ 25 cm

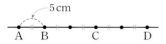

$\overline{\mathrm{AB}}=\dfrac{1}{3}\overline{\mathrm{AC}}$이고, $\overline{\mathrm{AB}}=5\,\mathrm{cm}$이므로

$\overline{\mathrm{AC}}=3\overline{\mathrm{AB}}=3\times5=15\,(\mathrm{cm})$

즉, $\overline{\mathrm{BC}}=\overline{\mathrm{AC}}-\overline{\mathrm{AB}}=15-5=10\,(\mathrm{cm})$

$\overline{\mathrm{CD}}=\overline{\mathrm{BC}}=10\,\mathrm{cm}$이므로

$\overline{\mathrm{AD}}=\overline{\mathrm{AC}}+\overline{\mathrm{CD}}=15+10=25\,(\mathrm{cm})$

031 ❓ ③

③ $91°$는 $90°$보다 크고 $180°$보다 작은 각이므로 둔각이다.

032 ❓ ③

③ ∠ADC는 둔각이다.

033 ❓ $35°$

$\angle x+30°+3\angle x+10°=180°$

$4\angle x+40°=180°$

$4\angle x=140°$

따라서 $\angle x=35°$

034 ❓ $34°$

$(2\angle x-12°)+\angle x=90°$

$3\angle x-12°=90°$

$3\angle x=102°$

따라서 $\angle x=34°$

035 ❓ ③

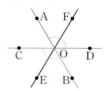

∠AOD의 맞꼭지각은 ∠BOC이다.

036 ❓ $\angle x=140°,\ \angle y=40°$

$\angle x+40°=180°$이므로 $\angle x=140°$

맞꼭지각의 크기는 서로 같으므로 $\angle y=40°$

037 ❓ $20°$

맞꼭지각의 크기는 서로 같으므로

$70°-\angle x=4\angle x-30°,\ 5\angle x=100°$

따라서 $\angle x=20°$

038 ❓ ⑤

④ $\angle\mathrm{DOE}=\angle\mathrm{AOD}+\angle\mathrm{AOE}=90°+60°=150°$

039 ❓ $85°$

$30°+(\angle x-15°)=90°$이므로 $\angle x=75°$

$(2\angle y+10°)+90°=120°$이므로

$2\angle y=20°,\ \angle y=10°$

따라서 $\angle x+\angle y=75°+10°=85°$

040 ❓ (1) 점 O　(2) $\overline{\mathrm{CO}}$

(1) 점 A에서 $\overline{\mathrm{CD}}$에 수선을 그어 생기는 교점이 점 O이므로 수선의 발은 점 O이다.

(2) 점 C에서 직선 AB에 내린 수선의 발이 점 O이다.
따라서 점 C에서 직선 AB 까지의 거리는 $\overline{CO}$이다.

041 답 1 cm
세 점과 직선 l과의 거리가 점 A는 3 cm, 점 B는 1 cm, 점 C는 2 cm이므로 직선 l과 가장 가까운 점 사이의 거리는 1 cm이다.

042 답 ④
④ 점 B와 $\overline{AD}$ 사이의 거리는 $\overline{CD}$의 길이이므로 3 cm이다.
⑤ 점 A와 $\overline{CD}$ 사이의 거리는 $\overline{AD}$의 길이이므로 4 cm이다.

043 답 ④
④ 두 점 A, E는 직선 l 위에 있다.

044 답 ③
③ 점 D는 $\overrightarrow{AD}$, $\overleftrightarrow{CD}$ 위에 있고 $\overleftrightarrow{BC}$ 위에 있지 않다.

045 답 ④
④ 한 직선에 수직인 두 직선은 서로 평행하다.

046 답 $\overleftrightarrow{AB}$, $\overleftrightarrow{AF}$, $\overleftrightarrow{CD}$, $\overleftrightarrow{DE}$

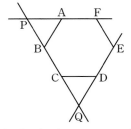

$\overleftrightarrow{BC}$와 $\overleftrightarrow{AB}$의 교점은 B, $\overleftrightarrow{BC}$와 $\overleftrightarrow{AF}$의 교점은 P, $\overleftrightarrow{BC}$와 $\overleftrightarrow{CD}$의 교점은 C, $\overleftrightarrow{BC}$와 $\overleftrightarrow{DE}$의 교점은 Q이다.
따라서 $\overleftrightarrow{BC}$와 한 점에서 만나는 직선은 $\overleftrightarrow{AB}$, $\overleftrightarrow{AF}$, $\overleftrightarrow{CD}$, $\overleftrightarrow{DE}$이다.

047 답 $\overline{CG}$, $\overline{DH}$, $\overline{EH}$, $\overline{FG}$
모서리 AB와 만나지도 않고 평행하지도 않은 모서리를 구하면 $\overline{CG}$, $\overline{DH}$, $\overline{EH}$, $\overline{FG}$이다.

048 답 ③, ④
③ 공간에서 서로 만나지 않는 두 직선은 평행하거나 꼬인 위치에 있다.

④ 꼬인 위치에 있는 두 직선은 한 평면 위에 있지 않다.

049 답 ③
$\overline{DE}$와 수직으로 만나는 모서리는 $\overline{AD}$, $\overline{BE}$, $\overline{EF}$이므로 3개이다.

050 답 ⑤
② $\overline{FG}$와 만나는 모서리는 $\overline{BF}$, $\overline{FE}$, $\overline{CG}$, $\overline{GH}$의 4개이다.
③ $\overline{AB}$와 평행한 모서리는 $\overline{CD}$, $\overline{EF}$, $\overline{GH}$의 3개이다.
⑤ $\overline{EF}$와 $\overline{AD}$는 꼬인 위치에 있으므로 만나지 않는다.

051 답 (1) ㄷ (2) ㄴ (3) ㄱ
(1) 평면과 직선이 만나지 않고 평행하므로 ㄷ이다.
(2) 평면과 직선이 한 점에서 만나므로 ㄴ이다.
(3) 직선이 평면에 포함되므로 ㄱ이다.

052 답 ④
④ 꼬인 위치는 공간에서 두 직선의 위치 관계이다.

053 답 ⑤
⑤ 면 CGHD에 수직인 모서리는 $\overline{AD}$, $\overline{BC}$, $\overline{FG}$, $\overline{EH}$이므로 4개이다.

054 답 (1) 면 ABCDE, 면 FGHIJ
(2) $\overline{AF}$, $\overline{BG}$, $\overline{CH}$, $\overline{DI}$, $\overline{EJ}$
(1) 모서리 AF는 모서리 AB, AE와 수직이므로 면 ABCDE와 수직이다. 모서리 AF는 모서리 FG, FJ와 수직이므로 면 FGHIJ와 수직이다.
(2) 정오각형의 밑면 ABCDE는 옆면과 모두 수직이므로 수직인 모서리는 $\overline{AF}$, $\overline{BG}$, $\overline{CH}$, $\overline{DI}$, $\overline{EJ}$이다.

055 답 ⑤
⑤ $\angle d$와 $\angle h$는 서로 같은 위치에 있으므로 동위각이다.
$\angle d$와 $\angle f$는 서로 엇갈린 위치에 있으므로 엇각이다.

056 답 $80°$

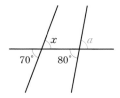

∠x의 동위각은 ∠a이다.
맞꼭지각의 크기는 서로 같으므로 ∠$a=80°$이다.

057 📘 10
∠a의 동위각은 ∠e이므로
$x°=∠e=180°-130°=50°$
즉, $x=50$
∠e의 엇각은 ∠c이므로
$y°=∠c=180°-120°=60°$
즉, $y=60$
따라서 $y-x=60-50=10$

058 📘 220°

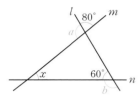

∠x의 엇각은 ∠a, ∠b이므로 ∠$a=180°-80°=100°$
∠$b=180°-60°=120°$
따라서 ∠$a+∠b=100°+120°=220°$

059 📘 180°

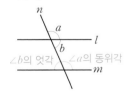

∠a의 동위각과 ∠b의 엇각의 크기의 합은 180°이다.

060 📘 110°

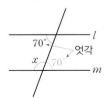

$l /\!/ m$이므로 엇각의 크기가 같다.
따라서 ∠$x+70°=180°$이므로 ∠$x=110°$

061 📘 ③
③ ∠$a=∠e$이지만 ∠$a+∠e$의 크기가 180°인지는 알 수 없다.

062 📘 10°

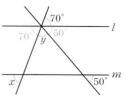

∠$x=70°$, ∠$y=180°-(70°+50°)=60°$
따라서 ∠$x-∠y=70°-60°=10°$

063 📘 ⑤
두 직선 l, m에 평행한 직선 n을 그으면 $l /\!/ m /\!/ n$이므로

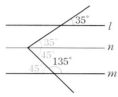

∠$x=35°+45°=80°$

064 📘 70°

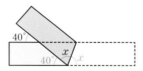

$40°+∠x+∠x=180°$
$2∠x=140°$
따라서 ∠$x=70°$

065 📘 ④
④

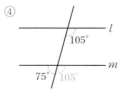

동위각의 크기가 같으므로 $l /\!/ m$이다.

066 📘 m과 n
동위각의 크기가 50°로 같으므로 $m /\!/ n$이다.

067 📘 (1) ㄱ (2) ㄴ (3) ㄴ

068 📘 ㉠ P ㉡ $\overline{AB}$ ㉢ P, $\overline{AB}$, Q

069 답 ㉢ → ㉠ → ㉡

㉢ 눈금 없는 자를 사용하여 선분 AB를 점 B의 방향으로 연장한 연장선을 긋는다.

㉠ 컴퍼스를 사용하여 선분 AB의 길이를 잰다.

㉡ 컴퍼스를 사용하여 점 B를 중심으로 하고 선분 AB의 길이를 반지름으로 하는 원을 그려 $\overrightarrow{AB}$와의 교점 중 점 A가 아닌 점을 C라고 한다.

따라서 작도 순서는 ㉢ → ㉠ → ㉡이다.

070 답 ㉢ → ㉡ → ㉠

071 답 ㉡ → ㉠ → ㉢ → ㉢ → ㉣

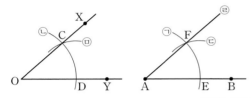

㉡ 점 O를 중심으로 하는 원을 그려 $\overrightarrow{OX}$, $\overrightarrow{OY}$와의 교점을 각각 C, D라고 한다.

㉠ 점 A를 중심으로 하고 반지름의 길이가 $\overline{OC}$인 원을 그려 $\overrightarrow{AB}$와의 교점을 E라고 한다.

㉢ 컴퍼스로 $\overline{CD}$의 길이를 잰다.

㉢ 점 E를 중심으로 하고 반지름의 길이가 $\overline{CD}$인 원을 그려 ㉠에서 그린 원과의 교점을 F라고 한다.

㉣ $\overrightarrow{AF}$를 긋는다.

이때 ∠FAE와 ∠XOY는 크기가 같은 각이다.

따라서 작도 순서는 ㉡ → ㉠ → ㉢ → ㉢ → ㉣이다.

072 답 (1) $\overline{OB}$, $\overline{PC}$, $\overline{PD}$　(2) ∠DPC

(1) 점 O를 중심으로 하는 원을 그려 $\overrightarrow{OX}$, $\overrightarrow{OY}$와의 교점을 각각 A, B라고 하였으므로 $\overline{OA}=\overline{OB}$이다. 점 P를 중심으로 하고 반지름의 길이가 $\overline{OA}$인 원을 그렸으므로 $\overline{OA}=\overline{OB}=\overline{PC}=\overline{PD}$이다.

(2) ∠XOY와 크기와 같은 각을 작도하였으므로 ∠XOY = ∠DPC이다.

073 답 ③

크기가 같은 각의 작도가 이용되었으므로 $\overline{PC}=\overline{PD}=\overline{QA}=\overline{QB}$이고 $\overline{AB}=\overline{CD}$이다. 즉, 동위각인 ∠AQB와 ∠CPD의 크기가 같도록 작도하였다.

따라서 동위각의 크기가 같으므로 $\overline{QB}/\!/\overline{PD}$이다.

③ $\overline{PD}=\overline{CD}$인지는 알 수 없다.

074 답 (1) 9 cm　(2) 8 cm　(3) 40°

(1) ∠A의 대변은 $\overline{BC}$이므로 길이는 9 cm이다.

(2) ∠C의 대변은 $\overline{AB}$이므로 길이는 8 cm이다.

(3) 변 AC의 대각은 ∠B이므로 크기는 40°이다.

075 답 ④

① 4=2+2　② 9>3+5　③ 9=4+5

④ 8<5+6　⑤ 16>7+8

가장 긴 변의 길이가 나머지 두 변의 길이의 합보다 작아야 삼각형이 만들어지므로 삼각형의 세 변의 길이가 될 수 있는 것은 ④이다.

076 답 ①

$x<x+5<x+10$이므로 세 변 중 가장 긴 변의 길이는 $x+10$이다.

$x+10<x+(x+5)$이어야 하므로

$x+10<2x+5$, $x>5$

따라서 x의 값이 될 수 없는 것은 ①이다.

077 답 2개

삼각형을 만들 수 있도록 세 막대의 길이를 고르면

$(5\,cm, 7\,cm, 8\,cm)$, $(7\,cm, 8\,cm, 14\,cm)$의 2개이다.

078 답 9개

(i) x cm가 가장 긴 변의 길이일 때

　　$x<5+8$, 즉 $x<13$

(ii) 8 cm가 가장 긴 변의 길이일 때

　　$8<x+5$, 즉 $3<x$

(i)과 (ii)에 의해 $3<x<13$

따라서 x의 값이 될 수 있는 자연수는 4, 5, 6, …, 12이므로 9개이다.

079 답 ①, ③

080 답 ③, ④

③ 주어진 끼인각과 크기가 같은 각을 작도한다.

④ 작도한 끼인각의 두 변에 주어진 두 변의 길이와 같은 선분을 작도한다.

081 📋 c, b

082 📋 ㄱ, ㄴ, ㄹ

두 변의 길이와 그 끼인각의 크기가 주어진 삼각형의 작도에는 $\overline{BC}$가 필요하다.

한 변의 길이와 그 양 끝 각의 크기가 주어진 삼각형의 작도에는 ∠A 또는 ∠B가 필요하다.

따라서 필요한 조건은 ㄱ, ㄴ, ㄹ이다.

083 📋 ㉡ → ㉠ → ㉣ → ㉢ 또는 ㉡ → ㉣ → ㉠ → ㉢ 또는
㉠ → ㉡ → ㉣ → ㉢ 또는 ㉣ → ㉡ → ㉠ → ㉢

084 📋 ③

가능한 작도 순서는

ㄷ → ㄱ → ㄴ → ㄹ 또는 ㄷ → ㄴ → ㄱ → ㄹ 또는
ㄱ → ㄷ → ㄴ → ㄹ 또는 ㄴ → ㄷ → ㄱ → ㄹ

이므로 작도 순서를 바르게 나열한 것은 ③번이다.

085 📋 4개

ㄱ. 13 < 5+11이므로 삼각형이 하나로 정해진다.

ㄴ. ∠A, ∠B의 크기를 알면 ∠C의 크기도 알 수 있기 때문에 한 변의 길이와 그 양 끝 각의 크기가 주어졌으므로 삼각형이 하나로 정해진다.

ㄹ. 한 변의 길이와 그 양 끝 각의 크기가 주어졌으므로 삼각형이 하나로 정해진다.

ㅁ. 두 변의 길이와 그 끼인각의 크기가 주어졌으므로 삼각형이 하나로 정해진다.

따라서 △ABC가 하나로 정해지는 것은 4개이다.

086 📋 ⑴ × ⑵ ○

⑴ 삼각형의 합동 조건인 SSS 합동, SAS 합동, ASA 합동 중 어느 것에도 해당되지 않으므로 합동이 아니다.

087 📋 ⑤

⑤ 두 삼각형의 합동을 기호로 나타낼 때는 대응하는 점의 순서에 맞게 나타내므로 △ABC≡△FED

088 📋 ②, ⑤

한 변의 길이와 그 한 끝각의 크기가 주어졌으므로
SAS 합동이 되기 위해서는 $\overline{AC}=\overline{DE}$,
ASA 합동이 되기 위해서는 ∠B=∠F이어야 한다.

089 📋 4쌍

ㄱ과 ㅈ(SAS 합동), ㄴ과 ㅅ(SAS 합동),
ㄷ과 ㅂ(ASA 합동), ㄹ과 ㅇ(SSS 합동)
이므로 서로 합동인 삼각형은 모두 4쌍이다.

090 📋 ④

① △AOD≡△BOC(SAS 합동)
② △ADB≡△ADC(SSS 합동)
③ △ABM≡△CDM(ASA 합동)
⑤ △ABE≡△ACD(ASA 합동)
따라서 옳지 않은 것은 ④이다.

07 평면도형의 성질

001 답 (1) 변 (2) 다각형 (3) 꼭짓점

002 답 (1) 나, 다, 마, 바, 사 (2) 가, 라, 아

003 답 (1) 삼각형 (2) 오각형

004 답 (1) 변의 개수: 8개, 꼭짓점의 개수: 8개
    (2) 변의 개수: 10개, 꼭짓점의 개수: 10개

005 답 ⑤

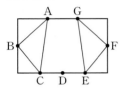

위의 점들을 연결하여 다음과 같은 다각형을 만들 수 있다.
① 삼각형 ABC
② 사각형 ACEG
③ 오각형 ACEFG
④ 육각형 ABCEFG
⑤ 점의 개수는 7개이지만 세 점이 일직선 위에 있으므로 칠
   각형을 만들 수 없다.

006 답 (1) 나 (2) 나, 사 (3) 나, 라, 바 (4) 나
(1) 정사각형이므로 나이다.
(2) 정사각형과 마름모이므로 나, 사이다.
(3) 정사각형과 등변사다리꼴과 직사각형이므로 나, 라, 바
   이다.
(4) 직사각형이며 또한 마름모인 도형은 정사각형이므로 나
   이다.

007 답 20 cm
직사각형의 한 대각선의 길이는 10 cm이다.
따라서 두 대각선의 길이의 합은 20 cm이다.

008 답 ④
④ 정사각형은 네 각이 직각이므로 직사각형이라 할 수 있다.

따라서 두 대각선의 길이가 같다.

009 답 ①, ④
(가)를 만족하는 사각형은 등변사다리꼴, 사다리꼴, 평행사변
형, 직사각형, 마름모이고 (나)를 만족하는 사각형은 등변사다
리꼴, 직사각형이다.
따라서 조건을 만족하는 사각형은 ①, ④이다.

010 답 ⑤
⑤ 다각형은 변의 개수에 따라 이름이 정해진다.

011 답 4 cm
(정사각형의 모든 변의 길이의 합)
=(정육각형의 모든 변의 길이의 합)
에서 정육각형의 한 변의 길이를 x cm라 하면
$6 \times 4 = x \times 6$, $x=4$
따라서 정육각형의 한 변의 길이는 4 cm이다.

012 답 (1) 가, 나, 마, 바, 아 (2) 나
(1) 마주 보는 두 쌍의 변이 서로 평행한 사각형은 평행사변
   형이다.
(2) 네 변의 길이가 모두 같고 네 각의 크기가 모두 같은 사각
   형은 정사각형이다.

013 답 8 cm
정오각형의 한 변의 길이를 x cm라 하면
$5 \times x = 40$, $x=8$
따라서 정오각형의 한 변의 길이는 8 cm이다.

014 답 십삼각형
구하는 다각형을 n각형이라 하면
$n-3=10$, $n=13$
따라서 십삼각형이다.

015 답 (1) 팔각형 (2) 5개 (3) 6개 (4) 8개
(1) 변의 개수가 8개이므로 팔각형이다.
(2) n각형에서 한 꼭짓점에서 그을 수 있는
   대각선의 개수는 $(n-3)$개이다.
   $n=8$이므로 $n-3=8-3=5$
   따라서 5개이다.
(3) n각형에서 한 꼭짓점에서 대각선을 모두 그었을 때 만들

어지는 삼각형의 개수는 $(n-2)$개이다.

$n=8$이므로 $n-2=8-2=6$

따라서 6개이다.

(4) n각형의 내부의 한 점에서 각 꼭짓점에 선분을 그었을 때 생기는 삼각형의 개수는 n개이다.

따라서 8개이다.

016 📖 (1) 십사각형 (2) 11개

(1) n각형에서 한 꼭짓점에서 대각선을 모두 그었을 때 만들 어지는 삼각형의 개수는 $(n-2)$개이다.

$n-2=12$, $n=14$

따라서 십사각형이다.

(2) n각형에서 한 꼭짓점에서 그을 수 있는 대각선의 개수는 $(n-3)$개이다.

$n=14$이므로 $n-3=14-3=11$

따라서 11개이다.

017 📖 ①, ⑤

① 삼각형의 한 꼭짓점에서 그을 수 있는 대각선의 개수는 없다.

⑤ n각형의 한 꼭짓점에서 그을 수 있는 대각선에 의해 나누 어지는 삼각형의 개수는 $(n-2)$개이다.

018 📖 (가) 7 (나) 4 (다) 14

$n=7$일 때

(2) n각형에서 한 꼭짓점에서 그을 수 있는 대각선의 개수는 $(n-3)$개이므로

$7-3=\boxed{4}$(개)

(3) 칠각형의 대각선의 개수는 $\dfrac{n(n-3)}{2}$개이므로

$\dfrac{\boxed{7}\times\boxed{4}}{2}=\boxed{14}$(개)이다.

019 📖 ④

팔각형이므로 $n=8$일 때이다.

따라서 팔각형의 대각선의 개수는

$\dfrac{8\times(8-5)}{2}=20$(개)

020 📖 35개

n각형의 한 꼭짓점에서 그을 수 있는 대각선의 개수가 7개 라 하면 $n-3=7$, $n=10$

따라서 십각형의 대각선의 개수는 $\dfrac{10\times7}{2}=35$(개)

021 📖 ②

n각형에서

(한 꼭짓점에서 그을 수 있는 대각선의 개수)$=n-3$(개)

이므로

$a=20-3=17$

n각형에서 (대각선의 개수)$=\dfrac{n(n-3)}{2}$(개)

이므로

$b=\dfrac{20\times(20-3)}{2}=170$(개)

따라서 $a+b=17+170=187$

022 📖 14번

7명의 사람이 칠각형의 각 꼭짓점에 앉아 있다고 할 때, 악 수의 횟수는 칠각형의 대각선의 개수와 같다.

따라서 칠각형의 대각선의 개수는

$\dfrac{7\times(7-3)}{2}=14$(개)

이므로 총 14번 악수를 하게 된다.

023 📖 (1) 내각 (2) 외각

024 📖 (1) 50° (2) 93°

(1) $\angle A+130°=180°$이므로

$\angle A=50°$

(2) $\angle A+87°=180°$이므로

$\angle A=93°$

025 📖 55°

$125°+($ $\angle A$의 외각)$=180°$이므로

($\angle A$의 외각)$=55°$

026 📖 175°

$75°+\angle x=180°$이므로 $\angle x=105°$

$110°+\angle y=180°$이므로 $\angle y=70°$

따라서 $\angle x+\angle y=175°$

027 📖 (1) 50° (2) 120°

(1) $130°+($ $\angle C$의 외각)$=180°$이므로

($\angle C$의 외각)$=50°$

(2) $\angle AED + 60° = 180°$이므로
　　$\angle AED = 120°$

028 답 $165°$
$\angle x + 135° = 180°$이므로
$\angle x = 45°$
$60° + \angle y = 180°$이므로
$\angle y = 120°$
따라서 $\angle x + \angle y = 165°$

029 답 $75°$
$45° + \angle x + 60° = 180°$이므로 $\angle x = 75°$

030 답 $135°$
$\angle x + \angle y + 45° = 180°$
따라서 $\angle x + \angle y = 135°$

031 답 (1) $80°$　(2) $21°$
(1) $60° + 40° + \angle x = 180°$
　　따라서 $\angle x = 80°$
(2) $3\angle x + (\angle x + 16°) + 80° = 180°$
　　$4\angle x = 84°$
　　따라서 $\angle x = 21°$

032 답 $40°$

$\angle a = 180° - 160° = 20°$
따라서 $\angle x = 180° - 120° - 20° = 40°$

033 답 $24°$
$2\angle x + (\angle x + 28°) + 80° = 180°$
$3\angle x = 72°$
따라서 $\angle x = 24°$

034 답 $45°, 60°, 75°$
$\angle A = 180° \times \dfrac{3}{3+4+5} = 45°$,
$\angle B = 180° \times \dfrac{4}{3+4+5} = 60°$,

$\angle C = 180° \times \dfrac{5}{3+4+5} = 75°$

035 답 $95°$
삼각형의 외각의 성질에 의하여
$\angle x + \angle y = 95°$

036 답 (1) $122°$　(2) $50°$
(1) $\angle x = 48° + 74° = 122°$
(2) $\angle x + (\angle x + 20°) = 120°$, $2\angle x = 100°$
　　따라서 $\angle x = 50°$

037 답 $69°$
$\triangle ADE$에서 외각의 성질에 의하여
$\angle DEC = 26° + 85° = 111°$
$\triangle BEC$에서 외각의 성질에 의하여
$\angle DEC = \angle x + 42° = 111°$
따라서 $\angle x = 69°$

038 답 (1) $45°$　(2) $130°$
(1) $\angle x + 75° = 2\angle x + 30°$
　　따라서 $\angle x = 45°$
(2) $\angle x = 60° + (180° - 110°) = 130°$
　　따라서 $\angle x = 130°$

039 답 $105°$
삼각형의 외각의 성질에 의하여
$\angle y + 15° = 90°$, $\angle y = 75°$
$\angle y = \angle x + 45° = 75°$, $\angle x = 30°$
따라서 $\angle x + \angle y = 30° + 75° = 105°$

040 답 $80°$
$\triangle ABC$에서 세 내각의 크기의 합은 $180°$이므로
$\angle x + 60° + 75° = 180°$
따라서 $\angle x = 45°$
$\triangle DCF$에서 외각의 성질에 의하여
$140° = \angle y + (180° - 75°)$
$140° = \angle y + 105°$, $\angle y = 35°$
따라서 $\angle x + \angle y = 45° + 35° = 80°$

041 🔢 80°

△ABC에서 ∠ABC+50°=110°

즉, ∠ABC=60°

∠DBC=60°×$\frac{1}{2}$=30°

따라서 △DBC에서

∠x=30°+50°=80°

042 🔢 124°

△ABC에서 ∠BAC=180°−120°=60°

∠BAD=$\frac{1}{2}$∠BAC=$\frac{1}{2}$×60°=30°

따라서 △ABD에서

∠x=30°+(180°−86°)=124°

043 🔢 100°

△IBC에서 내각의 크기의 합은 180°이므로

∠IBC+∠ICB=180°−140°=40°

△ABC에서

∠ABC+∠ACB=2(∠IBC+∠ICB)

　　　　　　　　=2×40°=80°

△ABC에서 내각의 크기의 합이 180°이므로

∠x=180°−80°=100°

| 다른 풀이 |

∠BIC=90°+$\frac{1}{2}$∠A이므로

140°=90°+$\frac{1}{2}$∠x

따라서 ∠x=100°

044 🔢 37°

△ABC에서 ∠ACE=74°+∠ABC

∠DCE=$\frac{1}{2}$∠ACE=$\frac{1}{2}$(74°+2∠DBC)

　　　　=37°+∠DBC　　······ ㉠

△DBC에서

∠DCE=∠x+∠DBC　　······ ㉡

㉠, ㉡에서 ∠x=37°

| 다른 풀이 |

∠BDC=$\frac{1}{2}$∠BAC이므로

∠x=$\frac{1}{2}$×74°=37°

045 🔢 96°

∠ACB=∠ABC=32°이므로

△ABC의 외각의 성질에 의하여

∠CAD=∠CDA=2×32°=64°

△DBC에서

∠x=∠DBC+∠CDB=32°+64°=96°

046 🔢 42°

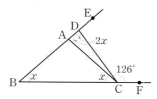

△ABC는 이등변삼각형이므로

∠ACB=∠ABC=∠x

삼각형의 외각의 성질에 의하여

∠CAD=∠CDA=2∠x

△DBC에서

∠x+2∠x=126°이므로 3∠x=126°

따라서 ∠x=42°

047 🔢 36°

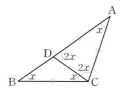

△ABC에서 $\overline{AC}$=$\overline{BC}$이므로

∠ABC=∠CAB=∠x

△DBC에서 $\overline{DB}$=$\overline{DC}$이므로

∠DCB=∠DBC=∠x

외각의 성질에 의하여

∠ADC=2∠x

△ADC에서 $\overline{AD}$=$\overline{AC}$, 즉 이등변삼각형이므로

∠ACD=∠ADC=2∠x

△ABC에서 내각의 크기의 합이 180°이므로

∠A+∠B+∠C=∠x+∠x+3∠x=180°

5∠x=180°

따라서 ∠x=36°

048 🔢 24°

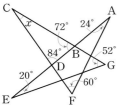

△BEG에서 외각의 성질에 의하여
∠CBE $= 20° + 52° = 72°$
또, △ADF에서 외각의 성질에 의하여
∠CDA $= 24° + 60° = 84°$
△BCD에서 $\angle x + 72° + 84° = 180°$
따라서 $\angle x = 24°$
| 다른 풀이 |
$\angle x + 20° + 60° + 52° + 24° = 180°$
따라서 $\angle x = 24°$

049 ② ②

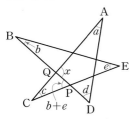

△BPE에서 외각의 성질에 의하여
∠BPC $= \angle b + \angle e$
△QCP에서 외각의 성질에 의하여
$\angle x = \angle b + \angle c + \angle e$

050 답 $105°$

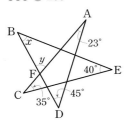

별 모양의 도형에서
$\angle x + 35° + 45° + 40° + 23° = 180°$
즉, $\angle x = 37°$
△FDA의 외각의 성질에 의하여
$\angle y = 23° + 45° = 68°$
따라서 $\angle x + \angle y = 37° + 68° = 105°$

051 답 (1) $1080°$ (2) $1800°$

n각형의 내각의 크기의 합은 $180° \times (n-2)$이다.
(1) $n = 8$이므로
　(팔각형의 내각의 크기의 합) $= 180° \times (8-2)$
　　　　　　　　　　　　　　$= 1080°$
(2) $n = 12$이므로
　(십이각형의 내각의 크기의 합) $= 180° \times (12-2)$
　　　　　　　　　　　　　　$= 1800°$

052 답 (1) $95°$ (2) $141°$

n각형의 내각의 크기의 합은 $180° \times (n-2)$이다.
(1) $n = 4$이므로
　(사각형의 내각의 크기의 합) $= 180° \times (4-2) = 360°$
　즉, $\angle x + 120° + 80° + 65° = 360°$
　따라서 $\angle x = 95°$
(2) $n = 5$이므로
　(오각형의 내각의 크기의 합) $= 180° \times (5-2) = 540°$
　즉, $\angle x + 79° + 120° + 85° + 115° = 540°$
　따라서 $\angle x = 141°$

053 답 $268°$

(칠각형의 내각의 크기의 합) $= 180° \times (7-2) = 900°$
즉, $\angle a + \angle b + 115° + 132° + 130° + 145° + 110° = 900°$
따라서 $\angle a + \angle b = 268°$

054 답 ③

(n각형의 내각의 크기의 합) $= 180° \times (n-2)$
즉, $1440° = 180° \times (n-2)$에서
$180° \times n - 180° \times 2 = 1440°$
$180° \times n = 1800°$, $n = 10$
따라서 십각형이다.

055 답 ⑤

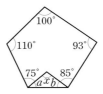

(오각형의 내각의 크기의 합) $= 180° \times (5-2) = 540°$
즉, $100° + 110° + 75° + \angle a + \angle b + 85° + 93° = 540°$
$\angle a + \angle b = 77°$

$\angle a + \angle b + \angle x = 180°$이므로 $77° + \angle x = 180°$
따라서 $\angle x = 103°$

056 🔢 $102°$
(사각형의 내각의 크기의 합)$= 180° \times (4-2) = 360°$
즉, $\angle C + \angle D = 360° - (124° + 80°) = 156°$
이때
$\angle ECD + \angle EDC = \dfrac{1}{2}(\angle C + \angle D) = \dfrac{1}{2} \times 156° = 78°$
$\triangle ECD$에서
$\angle x = 180° - (\angle ECD + \angle EDC)$
$\qquad = 180° - 78° = 102°$

057 🔢 ③
$\angle B$의 외각의 크기는
$180° - 120° = 60°$

058 🔢 ④

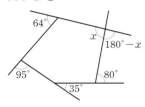

n각형의 외각의 크기의 합은 $360°$이므로
$64° + 95° + 35° + 80° + (180° - \angle x) = 360°$
$454° - \angle x = 360°$
따라서 $\angle x = 94°$

059 🔢 $15°$
다각형의 외각의 크기의 합은 $360°$이므로
$(2\angle x + 10°) + (180° - 130°) + 70°$
$\quad + (2\angle x + 5°) + 80° + 85° = 360°$
$4\angle x + 300° = 360°$
따라서 $\angle x = 15°$

060 🔢 ④
$\angle CBA + \angle CBE = 180°$이고
$\angle CBA : \angle CBE = 7 : 2$이므로
$\angle CBE = 180° \times \dfrac{2}{7+2} = 40°$
따라서 $\angle x = \angle CBE = 40°$

061 🔢 ③, ⑤
③ n각형의 한 꼭짓점에서 대각선을 그으면 $(n-3)$개의 대각선을 그을 수 있고 $(n-2)$개의 삼각형이 만들어진다.
⑤ 모든 다각형의 외각의 크기의 합은 $360°$이다.

062 🔢 (1) $144°$ (2) $150°$
(정n각형의 한 내각의 크기)$= \dfrac{180° \times (n-2)}{n}$
(1) $n = 10$이므로 $\dfrac{180° \times (10-2)}{10} = 144°$
(2) $n = 12$이므로 $\dfrac{180° \times (12-2)}{12} = 150°$

063 🔢 정팔각형
한 내각과 한 외각의 크기의 비가 $3 : 1$이므로
한 외각의 크기는 $180° \times \dfrac{1}{3+1} = 45°$
(정n각형의 한 외각의 크기)$= \dfrac{360°}{n}$이므로
$\dfrac{360°}{n} = 45°$, $n = 8$
따라서 정팔각형이다.

064 🔢 $60°$
(정육각형의 한 외각의 크기)$= \angle PAB = \angle PBA$
$\qquad\qquad\qquad\qquad\qquad = \dfrac{360°}{6} = 60°$
$\triangle APB$의 내각의 크기의 합은 $180°$이므로
$\angle x + 60° + 60° = 180°$
따라서 $\angle x = 60°$

065 🔢 (1) $60°$ (2) $20°$
(정n각형의 한 외각의 크기)$= \dfrac{360°}{n}$
(1) (정육각형의 한 외각의 크기)$= \dfrac{360°}{6} = 60°$
(2) (정십팔각형의 한 외각의 크기)$= \dfrac{360°}{18} = 20°$

066 🔢 $1260°$
(정n각형의 한 외각의 크기)$= \dfrac{360°}{n}$이므로
$\dfrac{360°}{n} = 40°$, $n = 9$

따라서 정구각형이므로 정구각형의 내각의 크기의 합은
$180° \times (9-2) = 1260°$

067 답 ㄱ, ㄷ
ㄱ. (내각의 크기의 합) $= 180° \times (15-2)$
$= 180° \times 13 = 2340°$

ㄴ. (한 내각의 크기) $= \dfrac{180° \times (15-2)}{15}$
$= \dfrac{180° \times 13}{15} = 156°$

ㄷ. 한 꼭짓점에서 대각선을 그어 만들어지는 삼각형의 개수
는 $15-2 = 13$(개)

ㄹ. (한 외각의 크기) $= \dfrac{360°}{15} = 24°$

따라서 옳은 것은 ㄱ, ㄷ이다.

068 답 (1) ㄴ (2) ㄱ (3) ㄷ (4) ㄹ

069 답 4개
ㄹ. 반원은 중심각의 크기가 180°이다.
따라서 옳은 것은 ㄱ, ㄴ, ㄷ, ㅁ의 4개이다.

070 답 ㅁ, ㅂ
ㅁ. 원 위의 두 점 B와 C를 양 끝으로
하는 호는 오른쪽 그림과 같이 2개
이다.
ㅂ. $\overset{\frown}{BC}$와 반지름 OB, OC로 이루어진
도형은 부채꼴이다.
따라서 옳지 않은 것은 ㅁ, ㅂ이다.

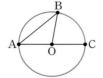

071 답 180°
한 원에서 부채꼴과 활꼴이 같을 경우는 반원이므로 부채꼴
의 중심각의 크기는 180°이다.

072 답 (1) 12 (2) 9 (3) 40 (4) 10
(1) 중심각의 크기가 같은 두 부채꼴의 호의 길이가 같다.
따라서 $x = 12$
(2) 부채꼴의 넓이는 중심각의 크기에 정비례하므로
$30 : 90 = x : 27$
따라서 $x = 9$

(3) 호의 길이가 같은 두 부채꼴의 중심각의 크기가 같다.
따라서 $x = 40$
(4) 호의 길이는 중심각의 크기에 정비례하므로
$60 : 120 = 2x : (x+30)$
$1 : 2 = 2x : (x+30)$
$4x = x+30, \ 3x = 30$
따라서 $x = 10$

073 답 (1) $x=5$, $y=90$ (2) $x=320$, $y=160$
(1) 호의 길이는 중심각의 크기에 정비례하므로
$30 : 60 = x : 10$
$1 : 2 = x : 10, \ 2x = 10$
따라서 $x = 5$
$30 : y = 5 : 15$
$5y = 30 \times 15$
따라서 $y = 90$
(2) 원의 중심각의 크기는 360°이므로
$x° = 360° - 40° = 320°$
따라서 $x = 320$
부채꼴의 넓이는 중심각의 크기에 정비례하므로
$40 : 320 = 20 : y$
$1 : 8 = 20 : y$
따라서 $y = 160$

074 답 ②, ③
① $\angle AOB = \angle COB = 90°$
중심각의 크기가 90°로 같으므로 호의 길이는 같다.
따라서 $\overset{\frown}{AB} = \overset{\frown}{BC}$
② $\overline{AB}$의 중심각의 크기는 90°이고
$\overline{CD}$의 중심각의 크기는 30°이지만 현의 길이는 중심각의
크기에 정비례하지 않으므로
$\overline{AB} \neq 3\overline{CD}$
③ $\angle AOD = 180° - 30° = 150°$
$\angle BOD = 90° + 30° = 120°$
중심각의 크기가 같지 않으므로 현의 길이는 같지 않다.
따라서 $\overline{AD} \neq \overline{BD}$
④ $\angle BOC = 90°$, $\angle COD = 30°$
부채꼴 BOC의 중심각의 크기가 부채꼴 COD의 중심각
의 크기의 3배이므로 호의 길이도 3배이다.
따라서 $\overset{\frown}{BC} = 3\overset{\frown}{CD}$
⑤ $\angle AOD = 150°$, $\angle COD = 30°$

부채꼴 AOD의 중심각의 크기가 부채꼴 COD의 중심각의 크기의 5배이므로 호의 길이도 5배이다.

따라서 $\overarc{AD}=5\overarc{CD}$

그러므로 옳지 않은 것은 ②, ③이다.

075 답 $80°$

$\overarc{AB}:\overarc{BC}:\overarc{AC}=2:3:4$이므로

$\angle AOB=360°\times\dfrac{2}{2+3+4}=80°$

076 답 $120°$

부채꼴의 호의 길이는 중심각의 크기에 정비례하고

$\overarc{BC}=3\overarc{AB}$이므로 $\angle BOC=3\angle AOB$

따라서 $\angle BOC=3\times40°=120°$

077 답 $14\pi\ \mathrm{cm}^2$

$\overarc{AC}$의 길이는 원의 둘레의 길이의 $\dfrac{1}{6}$이므로

$\angle AOC=360°\times\dfrac{1}{6}=60°$

즉, $\angle BOC=180°-60°=120°$

반원 AOB의 넓이가 $21\pi\ \mathrm{cm}^2$이므로 부채꼴 BOC의 넓이를 $x\ \mathrm{cm}^2$라 하면

$x:21\pi=120:180$

$x:21\pi=2:3$

$3x=42\pi$

따라서 $x=14\pi$

078 답 $32\ \mathrm{cm}$

$\overarc{AB}=\overarc{AC}$이므로

$\angle AOB=\angle AOC$

한 원에서 중심각의 크기가 같은 두 현의 길이는 같으므로

$\overline{AC}=\overline{AB}=10\ \mathrm{cm}$

따라서 색칠한 부분의 둘레의 길이는

$10+10+6+6=32\ (\mathrm{cm})$

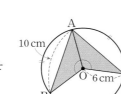

079 답 ②, ⑤

②, ⑤ 부채꼴의 호의 길이와 부채꼴의 넓이는 중심각의 크기에 각각 정비례하므로

$\overarc{CD}=2\overarc{AB}$

(부채꼴 OCD의 넓이)$=2\times$(부채꼴 OAB의 넓이)

①, ④ 부채꼴의 현의 길이와 삼각형의 넓이는 중심각의 크기에 각각 정비례하지 않으므로

$\overline{CD}\ne2\overline{AB}$, $\triangle OCD\ne2\triangle OAB$

③ $\angle AOB$와 $\angle AOD$의 크기가 같은지 알 수 없으므로

$\overarc{AB}=\overarc{AD}$인지 알 수 없다.

080 답 ①, ⑤

① 현의 길이는 중심각의 크기에 정비례하지 않는다.

따라서 $\dfrac{1}{3}\overline{AB}\ne\overline{BC}$

⑤ 삼각형의 넓이는 중심각의 크기에 정비례하지 않는다.

따라서 ($\triangle AOB$의 넓이)$\ne3\times$($\triangle BOC$의 넓이)

081 답 $32\ \mathrm{cm}$

$\overline{OA}=\overline{OB}$이므로

$\angle OAB=\angle OBA=\dfrac{1}{2}\times(180°-120°)=30°$

$\overline{AB}\,/\!/\,\overline{CD}$이므로

$\angle AOC=\angle OAB=30°$(엇각)

부채꼴의 호의 길이는 중심각의 크기에 정비례하므로

$\overarc{AB}:\overarc{AC}=120:30=4:1$

이때 $\overarc{AC}=8\ \mathrm{cm}$이므로

$\overarc{AB}=8\times4=32\ (\mathrm{cm})$

082 답 $5:2$

$\overline{AB}\,/\!/\,\overline{OC}$이므로

$\angle OBA=\angle COB=40°$(엇각)

$\overline{OA}=\overline{OB}$이므로

$\angle OAB=\angle OBA=40°$

즉, $\angle AOB=180°-2\times40°=100°$

따라서 $\overarc{AB}:\overarc{BC}=100:40=5:2$

083 답 $30\ \mathrm{cm}$

$\overline{AC}\,/\!/\,\overline{OD}$이므로

$\angle CAO=\angle DOB=45°$(동위각)

또, $\overline{AO}=\overline{CO}$이므로

$\angle OCA=\angle OAC=45°$

$\angle AOC=180°-2\times45°=90°$

부채꼴의 호의 길이는 중심각의 크기에 정비례하므로

$\overarc{AC}:\overarc{BD}=\angle AOC:\angle BOD=90:45=2:1$

$\overparen{BD}=15$ cm이므로

$\overparen{AC}=2\times15=30$ (cm)

084 ⓐ ⑤

$\overline{AC}/\!/\overline{OD}$이므로

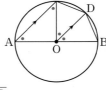

① $\angle CAO=\angle DOB$ (동위각)

② $\angle ACO=\angle COD$ (엇각)

③ $\angle COD=\angle DOB$이므로

$\quad\overparen{CD}=\overparen{BD}$

④ $\angle COD=\angle DOB$이므로 $\overline{CD}=\overline{BD}$

⑤ $\angle AOC=180°-2\angle DOB$이므로

$\quad\overparen{BD}:\overparen{AC}=\angle DOB:(180°-2\angle DOB)$

085 ⓐ $40°$

오른쪽 그림과 같이 선분 OB를
긋고, $\angle COD=\angle x$라 하자.

$\overline{AB}/\!/\overline{OC}$에서

$\quad\angle BAO=\angle COD=\angle x$ (동위각)

$\triangle AOB$는 이등변삼각형이므로

$\quad\angle OBA=\angle OAB=\angle x$

$\quad\angle BOC=\angle ABO=\angle x$ (엇각)

즉, $\angle AOB=180°-2\angle x$, $\angle BOD=2\angle x$

부채꼴 AOB와 부채꼴 BOD에서

$\quad\overparen{AB}:\overparen{BD}=\angle AOB:\angle BOD$

$\quad5:4=(180°-2\angle x):2\angle x$

$\quad10\angle x=720°-8\angle x,\ 18\angle x=720°$

따라서 $\angle x=40°$

086 ⓐ 28 cm

$\overline{AE}/\!/\overline{CD}$이므로

선분 OE를 그으면

$\quad\angle OAE=\angle BOD=30°$ (동위각)

$\triangle AOE$는 이등변삼각형이므로

$\quad\angle AOE=180°-(30°+30°)=120°$

$\angle AOC=\angle DOB=30°$ (맞꼭지각)이고, 호의 길이는 중심
각의 크기에 정비례하므로

$\quad\overparen{AE}:7=120:30$

$\quad\overparen{AE}:7=4:1$

따라서 $\overparen{AE}=28$ (cm)

087 ⓐ $l=10\pi$ cm, $S=25\pi$ cm^2

$l=2\pi\times5=10\pi$ (cm)

$S=\pi\times5^2=25\pi$ (cm^2)

088 ⓐ 원 O_1의 넓이: 36π cm^2

　　　원 O_2의 넓이: 144π cm^2

(원 O_1의 둘레의 길이)$=12\times\pi=12\pi$ (cm)

지름의 길이가 12 cm이므로 반지름의 길이는 6 cm이다.

(원 O_1의 넓이)$=\pi\times6^2=36\pi$ (cm^2)

원 O_2의 반지름의 길이를 r cm라 할 때,

(원 O_2의 둘레의 길이)$=2\pi r=12\pi\times2=24\pi$ (cm)

즉, $r=12$

따라서

(원 O_2의 넓이)$=\pi r^2=\pi\times12^2=144\pi$ (cm^2)

089 ⓐ 15π m

자전거의 바퀴가 1번 굴러간 거리는 바퀴의 원의 둘레의 길
이와 같다.

(원의 둘레의 길이)$=2\times\pi\times30=60\pi$ (cm)

따라서

(바퀴가 25번 굴러간 거리)$=25\times60\pi$

$\qquad\qquad\qquad\qquad\qquad=1500\pi$ (cm)

$\qquad\qquad\qquad\qquad\qquad=15\pi$ (m)

090 ⓐ 둘레의 길이: 16π cm, 넓이: 32π cm^2

(색칠한 부분의 둘레의 길이)

$=$(큰 원의 둘레의 길이)$+$(작은 원의 둘레의 길이)

$=2\pi\times6+2\pi\times2$

$=12\pi+4\pi=16\pi$ (cm)

(색칠한 부분의 넓이)

$=$(큰 원의 넓이)$-$(작은 원의 넓이)

$=\pi\times6^2-\pi\times2^2$

$=36\pi-4\pi=32\pi$ (cm^2)

091 ⓐ 둘레의 길이: 20π cm, 넓이: 50π cm^2

(색칠한 부분의 둘레의 길이)

$=\dfrac{1}{2}\times($큰 원의 둘레의 길이$)+($작은 원의 둘레의 길이$)$

$=\dfrac{1}{2}\times(2\pi\times10)+2\pi\times5$

$=10\pi+10\pi=20\pi$ (cm)

(색칠한 부분의 넓이)

$=\dfrac{1}{2}\times($큰 원의 넓이$)$

$=\dfrac{1}{2}\times(\pi\times10^2)=50\pi$ (cm^2)

092 🖐 10π cm

작은 바퀴의 반지름의 길이를 r_1 cm,

큰 바퀴의 반지름의 길이를 r_2 cm라 할 때,

(큰 바퀴의 둘레의 길이)$=40\pi=2\pi r_2$

즉, $r_2=20$

$r_2=4r_1$이므로 $20=4r_1$

즉, $r_1=5$

따라서

(작은 바퀴의 둘레의 길이)$=2\pi r_1=10\pi$ (cm)

093 🖐 (1) 135π cm^2　(2) 24π cm^2

(1) (넓이)$=\pi\times18^2\times\dfrac{150}{360}=135\pi$ (cm^2)

(2) 부채꼴의 넓이를 S라 하면

　$r=12$ cm, $l=4\pi$ cm이므로

　$S=\dfrac{1}{2}rl=\dfrac{1}{2}\times12\times4\pi=24\pi$ (cm^2)

094 🖐 (1) $x=\dfrac{27}{2}\pi$　(2) $y=\dfrac{8}{3}\pi$

(1) $S=\dfrac{1}{2}rl$에서 $r=9$ cm, $l=3\pi$ cm이므로

　$S=\dfrac{1}{2}\times9\times3\pi=\dfrac{27}{2}\pi$ (cm^2)

　따라서 $x=\dfrac{27}{2}\pi$

(2) $S=\dfrac{1}{2}rl$에서

　$r=15$ cm, $l=y$ cm, $S=20\pi$ cm^{2}이므로

　$20\pi=\dfrac{1}{2}\times15\times y$

　따라서 $y=\dfrac{8}{3}\pi$

095 🖐 둘레의 길이: $(4\pi+24)$ cm, 넓이: 24π cm^2

$l=2\pi r\times\dfrac{x}{360}$,

$S=\pi r^2\times\dfrac{x}{360}=\dfrac{1}{2}rl$에서

부채꼴의 반지름의 길이를 r cm라 할 때

$4\pi=2\pi r\times\dfrac{60}{360}$

즉, $r=12$

따라서

(부채꼴의 둘레의 길이)

$=2r+l=2\times12+4\pi=4\pi+24$ (cm)

(부채꼴의 넓이)

$=\dfrac{1}{2}rl=\dfrac{1}{2}\times12\times4\pi=24\pi$ (cm^2)

096 🖐 동호, $\dfrac{5}{2}\pi$ cm^2

채림이의 피자 조각의 넓이를 S_1, 동호의 피자 조각의 넓이를 S_2라 할 때

$S_1=\pi\times14^2\times\dfrac{45}{360}=\dfrac{49}{2}\pi$ (cm^2)

$S_2=\pi\times18^2\times\dfrac{30}{360}=27\pi$ (cm^2)

따라서 $S_2-S_1=27\pi-\dfrac{49}{2}\pi=\dfrac{5}{2}\pi$ (cm^2)

이므로 동호가 $\dfrac{5}{2}\pi$ cm^{2}만큼 더 많이 먹게 된다.

097 🖐 15000원

저축한 돈과 간식비를 합친 부채꼴의 중심각의 크기는

$\angle x+\angle y=360°-(90°+80°+50°)=140°$

이므로 저축한 돈을 나타내는 부채꼴의 중심각의 크기는

$\angle x=140°\times\dfrac{3}{3+4}=60°$

따라서 저축한 돈은 $90000\times\dfrac{60}{360}=15000$(원)

098 🖐 (1) 8π cm^2　(2) 5π cm^2

(1)

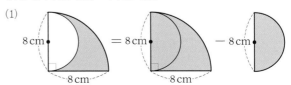

(색칠한 부분의 넓이)
= (반지름의 길이가 8 cm인 부채꼴의 넓이)
  $-\dfrac{1}{2}\times$ (반지름의 길이가 4 cm인 원의 넓이)
$=\pi\times 8^2\times\dfrac{90}{360}-\dfrac{1}{2}\times\pi\times 4^2$
$=16\pi-8\pi=8\pi\ (\text{cm}^2)$

(2)

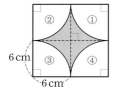 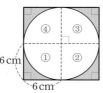

(색칠한 부분의 넓이)
= (반지름의 길이가 6 cm인 부채꼴의 넓이)
  $-$ (반지름의 길이가 4 cm인 부채꼴의 넓이)
$=\pi\times 6^2\times\dfrac{90}{360}-\pi\times 4^2\times\dfrac{90}{360}$
$=9\pi-4\pi=5\pi\ (\text{cm}^2)$

099 🔁 둘레의 길이: 12π cm, 넓이: $(144-36\pi)$ cm²

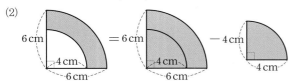

부채꼴을 이동하면 원이 된다.

(색칠한 부분의 둘레의 길이)
= (반지름의 길이가 6 cm인 원의 둘레의 길이)
$=2\pi\times 6=12\pi\ (\text{cm})$
(색칠한 부분의 넓이)
= (사각형의 넓이) $-$ (원의 넓이)
$=12\times 12-\pi\times 6^2$
$=144-36\pi\ (\text{cm}^2)$

100 🔁 둘레의 길이: 14π cm, 넓이: 12π cm²

  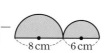

(색칠한 부분의 둘레의 길이)
$=\dfrac{1}{2}\times$ (지름의 길이가 14 cm인 원의 둘레의 길이)
  $+\dfrac{1}{2}\times$ (지름의 길이가 8 cm인 원의 둘레의 길이)
  $+\dfrac{1}{2}\times$ (지름의 길이가 6 cm인 원의 둘레의 길이)
$=\dfrac{1}{2}\times 2\pi\times 7+\dfrac{1}{2}\times 2\pi\times 4+\dfrac{1}{2}\times 2\pi\times 3$

$=7\pi+4\pi+3\pi$
$=14\pi\ (\text{cm})$
(색칠한 부분의 넓이)
$=\dfrac{1}{2}\times$ (지름의 길이가 14 cm인 원의 넓이)
  $-\dfrac{1}{2}\times$ (지름의 길이가 8 cm인 원의 넓이)
  $-\dfrac{1}{2}\times$ (지름의 길이가 6 cm인 원의 넓이)
$=\dfrac{1}{2}\times\pi\times 7^2-\dfrac{1}{2}\times\pi\times 4^2-\dfrac{1}{2}\times\pi\times 3^2$
$=\dfrac{49}{2}\pi-\dfrac{16}{2}\pi-\dfrac{9}{2}\pi=\dfrac{24}{2}\pi=12\pi\ (\text{cm}^2)$

101 🔁 (1) 둘레의 길이: $10\pi+10$ cm, 넓이: $\dfrac{25}{2}\pi$ cm²

(2) 둘레의 길이: $(28+7\pi)$ cm, 넓이: $\left(98-\dfrac{49}{2}\pi\right)$ cm²

(1)

  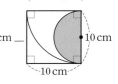

(색칠한 부분의 둘레의 길이)
= (반지름 10 cm, 중심각 90°인 부채꼴의 호)
  $+$ (반지름 5 cm, 중심각 180°인 부채꼴의 호)
  $+10$
$=2\pi\times 10\times\dfrac{90}{360}+2\pi\times 5\times\dfrac{180}{360}+10$
$=5\pi+5\pi+10=10\pi+10\ (\text{cm})$
(색칠한 부분의 넓이)
= (반지름 10 cm, 중심각 90°인 부채꼴의 넓이)
  $-$ (반지름 5 cm, 중심각 180°인 부채꼴의 넓이)
$=\pi\times 10^2\times\dfrac{90}{360}-\pi\times 5^2\times\dfrac{180}{360}$
$=25\pi-\dfrac{25}{2}\pi=\dfrac{25}{2}\pi\ (\text{cm}^2)$

(2)

  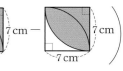

(색칠한 부분의 둘레의 길이)
= (한 변의 길이가 7 cm인 정사각형의 둘레의 길이)
  $+2\times$ (반지름 7 cm, 중심각 90°인 부채꼴의 호의 길이)
$=7\times 4+2\times\left(2\pi\times 7\times\dfrac{90}{360}\right)$
$=28+7\pi\ (\text{cm})$

(색칠한 부분의 넓이)
$=2\times[($한 변의 길이가 7 cm인 정사각형의 넓이$)$
$\quad-($반지름 7 cm, 중심각 90°인 부채꼴의 넓이$)]$
$=2\times\left(7\times7-\pi\times7^2\times\dfrac{90}{360}\right)$
$=2\times\left(49-\dfrac{49}{4}\pi\right)$
$=98-\dfrac{49}{2}\pi$ (cm^2)

102 🔲 32

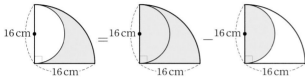

(색칠한 부분의 둘레의 길이)
$=($반지름 16 cm, 중심각 90°인 부채꼴의 호의 길이$)$
$\quad+($반지름 8 cm, 중심각 180°인 부채꼴의 호의 길이$)$
$\quad+16$
$=2\pi\times16\times\dfrac{90}{360}+2\pi\times8\times\dfrac{180}{360}+16$
$=8\pi+8\pi+16=16\pi+16$ (cm)
즉, $x=16\pi+16$
(색칠한 부분의 넓이)
$=($반지름 16 cm, 중심각 90°인 부채꼴의 넓이$)$
$\quad-($반지름 8 cm, 중심각 180°인 부채꼴의 넓이$)$
$=\pi\times16^2\times\dfrac{90}{360}-\pi\times8^2\times\dfrac{180}{360}$
$=64\pi-32\pi=32\pi$ (cm^2)
즉, $y=32\pi$
따라서 $2x-y=2(16\pi+16)-32\pi=32$

103 🔲 $450\pi-60$

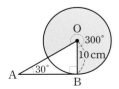

$\triangle\text{OAB}$는 직각삼각형이므로
$\angle\text{AOB}=180°-90°-30°=60°$
즉, (색칠한 부채꼴의 중심각의 크기$)=300°$
(색칠한 부분의 둘레의 길이)
$=($반지름 10 cm, 중심각 300°인 부채꼴의 호의 길이$)$
$\quad+2\times10$

$=2\pi\times10\times\dfrac{300}{360}+20$
$=\dfrac{50}{3}\pi+20$ (cm)
즉, $x=\dfrac{50}{3}\pi+20$
(색칠한 부분의 넓이)
$=($반지름 10 cm, 중심각 300°인 부채꼴의 넓이$)$
$=\pi\times10^2\times\dfrac{300}{360}$
$=\dfrac{250}{3}\pi$ (cm^2)
즉, $y=\dfrac{250}{3}\pi$
따라서
$6y-3x=6\times\dfrac{250}{3}\pi-3\left(\dfrac{50}{3}\pi+20\right)$
$\qquad\;\;=500\pi-50\pi-60$
$\qquad\;\;=450\pi-60$

104 🔲 16π

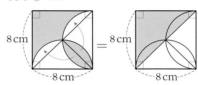

(색칠한 부분의 넓이)
$=($직각삼각형의 넓이$)=\dfrac{1}{2}\times8\times8=32$ (cm^2)
즉, $x=32$
(색칠한 부분의 둘레의 길이)
$=2\times($정사각형의 한 변의 길이$)$
$\quad+($지름의 길이가 8 cm인 원의 둘레의 길이$)$
$=2\times8+2\pi\times4$
$=16+8\pi$ (cm)
즉, $y=16+8\pi$
따라서
$2y-x=2(16+8\pi)-32=16\pi$

105 🔲 $\left(\dfrac{85}{3}\pi+14\right)$ cm

(색칠한 부분의 둘레의 길이)
= (반지름 12 cm, 중심각 300°인 부채꼴의 호의 길이)
  + (반지름 5 cm, 중심각 300°인 부채꼴의 호의 길이)
  + 2×7

$= 2\pi \times 12 \times \dfrac{300}{360} + 2\pi \times 5 \times \dfrac{300}{360} + 14$

$= 20\pi + \dfrac{25}{3}\pi + 14$

$= \dfrac{85}{3}\pi + 14 \text{ (cm)}$

106 🔑 $(100+50\pi) \text{ cm}^2$

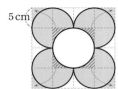

위의 그림과 같이 빗금친 부분을 화살표 방향으로 옮기면
(색칠한 부분의 넓이)
= (한 변의 길이가 5 cm인 정사각형 넓이)×4
  + (반지름 5 cm, 중심각 90°인 부채꼴의 넓이)×8

$= 5 \times 5 \times 4 + \left(\pi \times 5^2 \times \dfrac{90}{360}\right) \times 8$

$= 100 + 50\pi \text{ (cm}^2)$

107 🔑 $24+24\pi$
(색칠한 부분의 넓이)
= (지름의 길이가 8 cm인 반원의 넓이)
  + (지름의 길이가 6 cm인 반원의 넓이)
  + (직각삼각형의 넓이)
  − (지름의 길이가 10 cm인 반원의 넓이)

$= \left(\pi \times 4^2 \times \dfrac{1}{2}\right) + \left(\pi \times 3^2 \times \dfrac{1}{2}\right) + \left(\dfrac{1}{2} \times 8 \times 6\right)$
$\quad - \left(\pi \times 5^2 \times \dfrac{1}{2}\right)$

$= 8\pi + \dfrac{9}{2}\pi + 24 - \dfrac{25}{2}\pi = 24 \text{ (cm}^2)$

즉, $x=24$
(색칠한 부분의 둘레의 길이)
= (지름의 길이가 8 cm인 반원의 호의 길이)
  + (지름의 길이가 6 cm인 반원의 호의 길이)
  + (지름의 길이가 10 cm인 반원의 호의 길이)

$= \left(2\pi \times 4 \times \dfrac{1}{2}\right) + \left(2\pi \times 3 \times \dfrac{1}{2}\right) + \left(2\pi \times 5 \times \dfrac{1}{2}\right)$

$= 4\pi + 3\pi + 5\pi = 12\pi \text{ (cm)}$

즉, $y=12\pi$
따라서 $x+2y = 24 + 2 \times 12\pi = 24 + 24\pi$

108 🔑 $(50\pi - 100) \text{ cm}^2$

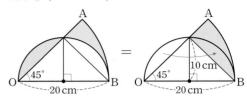

(색칠한 부분의 넓이)
= (반지름 20 cm, 중심각 45°인 부채꼴의 넓이)
  − (삼각형의 넓이)

$= \left(\pi \times 20^2 \times \dfrac{45}{360}\right) - \left(\dfrac{1}{2} \times 20 \times 10\right)$

$= 50\pi - 100 \text{ (cm}^2)$

109 🔑 $16\pi \text{ cm}$

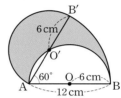

위 그림의 반원 O, O′에서
$\widehat{\text{AB}} = \widehat{\text{A}'\text{B}'} = 2\pi \times 6 \times \dfrac{1}{2} = 6\pi \text{ (cm)}$

또, 부채꼴 ABB′에서
$\widehat{\text{BB}'} = 2\pi \times 12 \times \dfrac{60}{360} = 4\pi \text{ (cm)}$

따라서
(색칠한 부분의 둘레의 길이)
$= \widehat{\text{AB}} + \widehat{\text{A}'\text{B}'} + \widehat{\text{BB}'}$
$= 2\widehat{\text{AB}} + \widehat{\text{BB}'}$
$= 2 \times 6\pi + 4\pi = 16\pi \text{ (cm)}$

08 입체도형의 성질

001 🈺 ㄱ, ㄴ, ㄹ

002 🈺 ④
④ 육각뿔대는 팔면체이다.

003 🈺 직육면체

004 🈺 ㄱ, ㄹ
주어진 다면체의 면의 개수는 6개이다.
ㄱ, ㄹ. 면의 개수는 6개이다.
ㄴ. 면의 개수는 5개이다.
ㄷ, ㅁ, ㅂ. 면의 개수는 7개이다.

005 🈺 (1) 4개   (2) 3쌍
(3) 면 ABCD, 면 BFGC, 면 EFGH, 면 AEHD

006 🈺 36 cm
정육면체의 모서리는 모두 12개이므로 모든 모서리의 길이
의 합은 $3 \times 12 = 36$ (cm)

007 🈺 6, 정육면체

008 🈺 (1) 가, 다, 마   (2) 마

009 🈺 ④
④ 정육면체의 모서리의 길이는 모두 같다.

010 🈺 (1) 3, 3   (2) 9, 3   (3) 7, 1
(1) 보이는 면은 3개, 보이지 않는 면은 3개
(2) 보이는 모서리는 9개, 보이지 않는 모서리는 3개
(3) 보이는 꼭짓점은 7개, 보이지 않는 꼭짓점은 1개

011 🈺 ㉠ 5, ㉡ 4, ㉢ 8

012 🈺 (1) 전개도   (2) 점선, 실선   (3) 3
(4) C, K   (5) HI   (6) BEFM

013 🈺 (1) 면 마   (2) 면 나, 면 다, 면 라, 면 바   (3) 선분 HI
(1) 6개의 면 중 마주보는 면 1개와 평행하다.
(2) 6개의 면 중 자신과 평행한 면을 제외한 4개의 면과 수직
이다.

014 🈺 풀이 참조

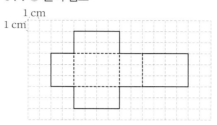

015 🈺 풀이 참조

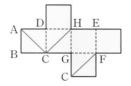

016 🈺 풀이 참조

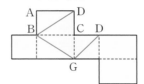

017 🈺 ②
① 직육면체의 겨냥도에서 보이는 모서리는 모두 9개이다.
③ 직육면체에서 서로 만나는 면은 수직이다.
④ 직육면체의 면은 모두 6개이지만 면의 크기가 모두 같다
고 할 수 없다.
⑤ 직육면체는 모든 모서리의 길이가 같은 것은 아니므로 정
육면체라고 할 수 없다.
단, 정육면체는 직육면체라고 할 수 있다.

018 🈺 8
평행한 두 면에 적힌 수의 합은 $7 + 2 = 9$
㉠ $+ 4 = 9$, ㉡ $+ 6 = 9$이므로 ㉠ $= 5$, ㉡ $= 3$
따라서 ㉠ $+$ ㉡ $= 5 + 3 = 8$

019 🈺 18 cm

정육면체의 한 모서리의 길이를 x cm라고 하면
정육면체의 모서리는 12개이므로
$12x=72$, 즉 $x=6$
따라서 보이지 않는 모서리의 개수는 3개이므로 구하는 모서리의 길이의 합은
$6 \times 3 = 18$ (cm)

020 圖 (1) 사각기둥 (2) 칠각기둥

021 圖 ④
④ 옆면과 밑면은 서로 수직이다.

022 圖 (1) 풀이 참조 (2) 5개
(1)

023 圖 (1) 삼각기둥 (2) 면 GHF

024 圖 팔각기둥

025 圖 ⑤

026 圖 ①, ④
② 사각기둥의 꼭짓점은 8개이다.
③ 사각기둥의 모서리는 12개이다.
⑤ 사각기둥의 밑면의 모양은 사각형이나 직사각형이 아닌 경우도 있으므로 직사각형이라고 할 수는 없다.

027 圖 (1) 삼각기둥 (2) 33 cm
(2) (모든 모서리의 길이의 합)
　　$= (3 \times 2) + (2 \times 2) + (4 \times 2) + (5 \times 3) = 33$ (cm)

028 圖 ②
주어진 도형은 오각기둥의 전개도이다.
(꼭짓점의 개수) $= 5 \times 2 = 10$
(모서리의 개수) $= 5 \times 3 = 15$
따라서
(꼭짓점의 개수) $+$ (모서리의 개수) $= 10 + 15 = 25$

029 圖 ㉠ 4, ㉡ 2, ㉢ 7

030 圖 6개
주어진 각기둥은 육각기둥이므로 밑면에 수직인 면은 6개이다.

031 圖 ㄹ
ㄹ. 밑면 2개가 같은 방향에 있어 각기둥을 만들 수 없다.

032 圖 각뿔의 꼭짓점, 높이

033 圖 ②
② 정팔각뿔은 구면체이고, 옆면의 모양은 모두 합동인 이등변삼각형이다.

034 圖 ①, ⑤
① 밑면의 개수는 모두 1개이다.
⑤ 각뿔의 옆면의 모양은 항상 삼각형이다.

035 圖 ④
① 각뿔의 밑면은 1개이다.
② 각뿔의 밑면은 다각형이다.
③ 각뿔의 꼭짓점은 1개이다.
④ 각뿔의 옆면의 모양은 삼각형이다.
⑤ 각뿔의 밑면의 다각형의 모양에 따라 이름이 정해진다.

036 圖 (1) ✕ (2) ◯ (3) ✕ (4) ◯ (5) ◯
(1) 각뿔대의 두 밑면은 모양은 같고 평행하지만 크기가 다르므로 합동이 아니다.
(3) 각뿔대의 옆면은 사다리꼴이다.

037 圖 ④
각각의 면의 개수는
① 7개 ② 7개 ③ 6개 ④ 9개 ⑤ 8개
따라서 면의 개수가 가장 많은 것은 ④이다.

038 圖 ③
① (육각뿔대의 면의 개수) $= 6 + 2 = 8$
　 따라서 육각뿔대는 팔면체이다.

② (육각뿔대의 꼭짓점의 개수)=6×2=12

③ (육각뿔대의 모서리의 개수)=6×3=18

④ 육각뿔대의 옆면의 모양은 사다리꼴이다.

⑤ 육각뿔대의 두 밑면은 모양이 같고 평행하지만 크기가 다르므로 합동이 아니다.

039 📋 25

삼각뿔대의 모서리의 개수는 9개이므로

$a=9$

사각뿔대의 면의 개수는 6개이므로 $b=6$

오각뿔대의 꼭짓점의 개수는 10이므로 $c=10$

따라서 $a+b+c=25$

040 📋 (1) × (2) ○ (3) ×

(1) 정다면체의 종류는 5개 밖에 없다.

(3) 정다면체의 면이 될 수 있는 다각형은 정삼각형, 정사각형, 정오각형 3가지뿐이다.

041 📋 정십이면체

042 📋 ④

각 면이 모두 합동인 정삼각형이고, 각 꼭짓점에 모인 면의 개수가 4개인 다면체는 정팔면체이다.

043 📋 ②

② 정다면체의 면이 될 수 있는 다각형은 정삼각형, 정사각형, 정오각형의 세 가지이다.

044 📋 ③

③ 정팔면체 - 정삼각형

045 📋 풀이 참조

각 꼭짓점에 모인 면의 개수가 다음과 같이 같지 않으므로 정다면체가 될 수 없다.

(점 A에 모인 면의 개수)=3(개)

(점 B에 모인 면의 개수)=4(개)

046 📋 ③, ④

주어진 도형은 정사면체의 전개도이다.

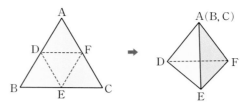

③ 한 꼭짓점에 모인 면의 개수는 3개이다.

④ 점 A와 겹치는 꼭짓점은 점 B, 점 C의 2개이다.

047 📋 ①, ④

주어진 도형은 정십이면체의 전개도이다.

② 정십이면체의 꼭짓점의 개수는 20개이다.

③ 정십이면체의 모서리의 개수는 30개이다.

⑤ 한 꼭짓점에 모인 면의 개수는 3개이다.

048 📋 구

049 📋 ③, ⑤

③, ⑤ 회전축이 존재하지 않으므로 회전체가 아니다.

050 📋 ②, ⑤

② 모든 면이 사각형이다.

⑤ 구는 반원을 회전시킨 것이다.

051 📋 ㄱ, ㄹ, ㅁ, ㅇ

052 📋 ④

대칭을 이용하여 좌우로 도형을 그린 후 가장 바깥 부분의 외곽선을 원으로 연결하면 회전체는 ④이다.

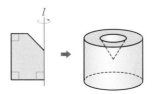

053 📋 풀이 참조

(1)

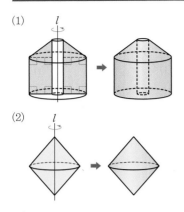

(2)

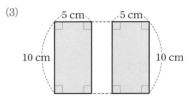

회전체를 회전축에 수직인 평면으로 자른 단면은 위의 그림과 같다.
(자른 단면의 넓이)
= (큰 원의 넓이) − (작은 원의 넓이)
$= \pi \times 7^2 - \pi \times 2^2$
$= 49\pi - 4\pi$
$= 45\pi \ (cm^2)$

(3)

회전체를 회전축을 포함하는 평면으로 자른 단면은 위의 그림과 같으므로
(넓이) $= 10 \times 5 \times 2 = 100 \ (cm^2)$

054 답 ㄷ, ㄹ
회전체를 회전체의 축을 포함하는 평면으로 자를 때, 원뿔은 삼각형, 원뿔대는 사다리꼴 모양이다.
따라서 잘못 짝지어진 것은 ㄷ, ㄹ이다.

055 답 ②, ④
회전체를 회전축에 수직인 평면으로 자른 단면의 모양은 항상 원이다.

056 답 ㄱ, ㄷ
회전체를 회전축을 포함하는 평면으로 자를 때 나타날 수 있는 단면의 모양은 선대칭도형이어야 하므로 ㄴ과 ㄹ은 될 수 없다.

059 답 (1) 10π cm (2) 5 cm
(1) (원의 둘레의 길이) = (옆면의 가로의 길이) $= 10\pi$ (cm)
(2) 반지름의 길이를 r cm라 하면
$2\pi r = 10\pi$
따라서 $r = 5$

057 답 풀이 참조

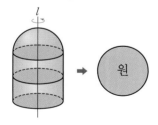

060 답 $(20 + 20\pi)$ cm

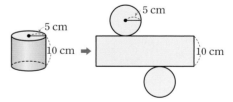

(옆면의 가로의 길이) = (원의 둘레의 길이)
$= 2\pi \times 5 = 10\pi$ (cm)
(옆면의 세로의 길이) $= 10$
따라서
(옆면의 둘레의 길이) $= 2 \times 10 + 2 \times 10\pi = 20 + 20\pi$ (cm)

058 답 (1) ㄴ (2) 45π cm² (3) 100 cm²
(1) 대칭을 이용하여 좌우로 도형을 그린 후 가장 바깥 부분의 외곽선을 원으로 연결하면 회전체는 ㄴ이다.

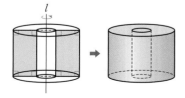

061 답 ②

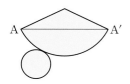

점 A에서 실을 감아 다시 A까지 돌아오는 가장 짧은 길이는 두 점 A와 A'을 잇는 선분의 길이이다.

062 달 ⑴ $a=3$, $b=4$, $c=7$ ⑵ $96\,\mathrm{cm}^2$
⑵ (겉넓이)$=\left(\dfrac{1}{2}\times3\times4\right)\times2+(3+4+5)\times7$
$\qquad\qquad=12+84=96\,(\mathrm{cm}^2)$

063 달 $94\,\mathrm{cm}^2$
(밑넓이)$=5\times4=20\,(\mathrm{cm}^2)$
(옆넓이)$=(5+4+5+4)\times3=54\,(\mathrm{cm}^2)$
따라서 (겉넓이)$=20\times2+54=94\,(\mathrm{cm}^2)$

064 달 $352\,\mathrm{cm}^2$
(겉넓이)$=$(밑넓이)$\times2+$(옆넓이)
$\qquad\quad=(4\times12)\times2+(12+4+12+4)\times8$
$\qquad\quad=352\,(\mathrm{cm}^2)$

065 달 $5\,\mathrm{cm}$
높이를 $x\,\mathrm{cm}$라 하면
(겉넓이)$=$(밑넓이)$\times2+$(옆넓이)
$\qquad\quad=(6\times4)\times2+(6+4+6+4)\times x$
이므로
$48+20x=148$, $20x=100$
따라서 $x=5\,(\mathrm{cm})$

066 달 ⑤
주어진 도형은 사각기둥이다.
따라서
(겉넓이)$=$(밑넓이)$\times2+$(옆넓이)
$\qquad\quad=\left\{\dfrac{1}{2}\times(6+3)\times4\right\}\times2+(6+5+3+4)\times10$
$\qquad\quad=36+180=216\,(\mathrm{cm}^2)$

067 달 $104\pi\,\mathrm{cm}^2$
(밑넓이)$=\pi\times4^2=16\pi\,(\mathrm{cm}^2)$
(옆넓이)$=(2\pi\times4)\times9=72\pi\,(\mathrm{cm}^2)$

따라서
(겉넓이)$=$(밑넓이)$\times2+$(옆넓이)
$\qquad\quad=32\pi+72\pi=104\pi\,(\mathrm{cm}^2)$

068 달 $168\pi\,\mathrm{cm}^2$

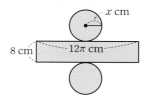

밑면의 반지름의 길이를 $x\,\mathrm{cm}$라 하면
(원의 둘레의 길이)$=12\pi=2\pi\times x$에서 $x=6$
(밑넓이)$=\pi\times6^2=36\pi\,(\mathrm{cm}^2)$
(옆넓이)$=12\pi\times8=96\pi\,(\mathrm{cm}^2)$
따라서
(겉넓이)$=$(밑넓이)$\times2+$(옆넓이)
$\qquad\quad=72\pi+96\pi=168\pi\,(\mathrm{cm}^2)$

069 달 $66\pi\,\mathrm{cm}^2$
(밑넓이)$=\pi\times3^2=9\pi\,(\mathrm{cm}^2)$
(옆넓이)$=(2\pi\times3)\times8=48\pi\,(\mathrm{cm}^2)$
따라서
(겉넓이)$=$(밑넓이)$\times2+$(옆넓이)
$\qquad\quad=18\pi+48\pi=66\pi\,(\mathrm{cm}^2)$

070 달 6
(밑넓이)$=\pi\times8^2=64\pi\,(\mathrm{cm}^2)$
(옆넓이)$=(2\pi\times8)\times x$
$\qquad\quad=16\pi\times x\,(\mathrm{cm}^2)$
(겉넓이)$=$(밑넓이)$\times2+$(옆넓이)
$\qquad\quad=128\pi+16\pi\times x=224\pi$
$16\pi\times x=96\pi$
따라서 $x=6$

071 달 $h=6$, 겉넓이: $32\pi\,\mathrm{cm}^2$
(옆넓이)$=(2\pi\times2)\times h=24\pi$
이므로 $h=6$
(밑넓이)$=\pi\times2^2=4\pi\,(\mathrm{cm}^2)$
따라서
(겉넓이)$=$(밑넓이)$\times2+$(옆넓이)
$\qquad\quad=8\pi+24\pi=32\pi\,(\mathrm{cm}^2)$

072 🔘 $\dfrac{2}{3}\pi$

$A = 6 \times a^2 = 6a^2 \ (\text{cm}^2)$

$B = (\text{밑넓이}) \times 2 + (\text{옆넓이})$

$\quad = a^2\pi \times 2 + 2\pi a \times a$

$\quad = 2a^2\pi + 2a^2\pi = 4a^2\pi$

따라서 $\dfrac{B}{A} = \dfrac{4a^2\pi}{6a^2} = \dfrac{2}{3}\pi$

073 🔘 $a = 7$, $b = 4$, 겉넓이: $72 \ \text{cm}^2$

$(\text{겉넓이}) = (4 \times 4) + 4 \times \left(\dfrac{1}{2} \times 4 \times 7\right)$

$\qquad\qquad = 16 + 56 = 72 \ (\text{cm}^2)$

074 🔘 (1) $384 \ \text{cm}^2$ (2) $105 \ \text{cm}^2$

(1) $(\text{밑넓이}) = 12 \times 12 = 144 \ (\text{cm}^2)$

$\quad (\text{옆넓이}) = 4 \times \left(\dfrac{1}{2} \times 12 \times 10\right) = 240 \ (\text{cm}^2)$

따라서

$\quad (\text{겉넓이}) = (\text{밑넓이}) + (\text{옆넓이})$

$\qquad\qquad\quad = 144 + 240 = 384 \ (\text{cm}^2)$

(2) $(\text{밑넓이}) = 5 \times 5 = 25 \ (\text{cm}^2)$

$\quad (\text{옆넓이}) = 4 \times \left(\dfrac{1}{2} \times 5 \times 8\right) = 80 \ (\text{cm}^2)$

따라서

$\quad (\text{겉넓이}) = (\text{밑넓이}) + (\text{옆넓이})$

$\qquad\qquad\quad = 25 + 80 = 105 \ (\text{cm}^2)$

075 🔘 7

$(\text{밑넓이}) = 8 \times 8 = 64 \ (\text{cm}^2)$

$(\text{옆넓이}) = 4 \times \left(\dfrac{1}{2} \times 8 \times x\right) = 16x \ (\text{cm}^2)$

$(\text{겉넓이}) = (\text{밑넓이}) + (\text{옆넓이})$

$\qquad\qquad = 64 + 16x = 176$

따라서 $x = 7$

076 🔘 $360 \ \text{cm}^2$

$(\text{밑넓이}) = 10 \times 10 = 100 \ (\text{cm}^2)$

$(\text{옆넓이}) = 4 \times \left(\dfrac{1}{2} \times 10 \times 13\right) = 260 \ (\text{cm}^2)$

따라서

$(\text{겉넓이}) = (\text{밑넓이}) + (\text{옆넓이})$

$\qquad\qquad = 100 + 260 = 360 \ (\text{cm}^2)$

077 🔘 $132 \ \text{cm}^2$

$(\text{밑넓이}) = 6 \times 6 = 36 \ (\text{cm}^2)$

$(\text{옆넓이}) = 4 \times \left(\dfrac{1}{2} \times 6 \times 8\right) = 96 \ (\text{cm}^2)$

따라서

$(\text{겉넓이}) = (\text{밑넓이}) + (\text{옆넓이})$

$\qquad\qquad = 36 + 96 = 132 \ (\text{cm}^2)$

078 🔘 (1) $33\pi \ \text{cm}^2$ (2) $90\pi \ \text{cm}^2$

(1) $r = 3 \ \text{cm}$, $l = 8 \ \text{cm}$이므로

$\quad (\text{밑넓이}) = \pi r^2 = \pi \times 3^2 = 9\pi \ (\text{cm}^2)$

$\quad (\text{옆넓이}) = \pi r l = \pi \times 3 \times 8 = 24\pi \ (\text{cm}^2)$

따라서

$\quad (\text{겉넓이}) = (\text{밑넓이}) + (\text{옆넓이})$

$\qquad\qquad\quad = 9\pi + 24\pi = 33\pi \ (\text{cm}^2)$

(2) $r = 5 \ \text{cm}$, $l = 13 \ \text{cm}$이므로

$\quad (\text{밑넓이}) = \pi r^2 = \pi \times 5^2 = 25\pi \ (\text{cm}^2)$

$\quad (\text{옆넓이}) = \pi r l = \pi \times 5 \times 13 = 65\pi \ (\text{cm}^2)$

따라서

$\quad (\text{겉넓이}) = (\text{밑넓이}) + (\text{옆넓이})$

$\qquad\qquad\quad = 25\pi + 65\pi = 90\pi \ (\text{cm}^2)$

079 🔘 $28\pi \ \text{cm}^2$

$r = 2 \ \text{cm}$, $l = 12 \ \text{cm}$이므로

$(\text{밑넓이}) = \pi r^2 = \pi \times 2^2 = 4\pi \ (\text{cm}^2)$

$(\text{옆넓이}) = \pi r l = \pi \times 2 \times 12 = 24\pi \ (\text{cm}^2)$

따라서

$(\text{겉넓이}) = (\text{밑넓이}) + (\text{옆넓이})$

$\qquad\qquad = 4\pi + 24\pi = 28\pi \ (\text{cm}^2)$

080 🔘 $45\pi \ \text{cm}^2$

밑면의 반지름의 길이를 $x \ \text{cm}$라 하면

$(\text{부채꼴의 호의 길이}) = 6\pi = 2 \times \pi \times x$

즉, $x = 3$

$(\text{밑넓이}) = \pi \times 3^2 = 9\pi \ (\text{cm}^2)$

$(\text{옆넓이}) = \pi \times 3 \times 12 = 36\pi \ (\text{cm}^2)$

따라서

$(\text{겉넓이}) = (\text{밑넓이}) + (\text{옆넓이})$

$\qquad\qquad = 9\pi + 36\pi = 45\pi \ (\text{cm}^2)$

081 🔘 $10 \ \text{cm}$

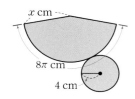

모선의 길이를 x cm라 하면
(밑넓이)$=\pi \times 4^2 = 16\pi$ (cm^2)
(옆넓이)$=\pi \times 4 \times x = 4\pi x$ (cm^2)
(겉넓이)$=$(밑넓이)$+$(옆넓이)
$\qquad = 16\pi + 4\pi x = 56\pi$
$4\pi x = 40\pi$
따라서 $x = 10$

082 🗒 160π cm^2
밑면인 원의 반지름의 길이를 x cm라 하면
(부채꼴의 호의 길이)$=$(원의 둘레의 길이)이므로
$2\pi \times 12 \times \dfrac{240}{360} = 2\pi x$, 즉 $x = 8$
(밑넓이)$=\pi \times 8^2 = 64\pi$ (cm^2)
(옆넓이)$=\pi \times 8 \times 12 = 96\pi$ (cm^2)
따라서
(겉넓이)$=$(밑넓이)$+$(옆넓이)
$\qquad = 64\pi + 96\pi = 160\pi$ (cm^2)

083 🗒 52π cm^2
주어진 도형을 직선 l을 축으로 하여
1회전 시킬 때 생기는 입체도형은
오른쪽 그림과 같다.
(큰 원뿔의 옆넓이)$=\pi \times 4 \times 7 = 28\pi$ (cm^2)
(작은 원뿔의 옆넓이)$=\pi \times 4 \times 6 = 24\pi$ (cm^2)
따라서 (겉넓이)$=28\pi + 24\pi = 52\pi$ (cm^2)

084 🗒 (1) 178 cm^2 (2) 152π cm^2
(1) (두 밑넓이의 합)$=(3 \times 3) + (7 \times 7) = 58$ (cm^2)
　　(옆넓이)$=\dfrac{1}{2} \times \{(3+7) \times 6\} \times 4 = 120$ (cm^2)
　　따라서
　　(겉넓이)$=$(두 밑넓이의 합)$+$(옆넓이)
　　　　　　$=58 + 120 = 178$ (cm^2)
(2) (두 밑넓이의 합)$=(\pi \times 8^2) + (\pi \times 4^2) = 80\pi$ (cm^2)
　　(옆넓이)$=(\pi \times 8 \times 12) - (\pi \times 4 \times 6)$
　　　　　　$=72\pi$ (cm^2)

따라서
　　(겉넓이)$=$(두 밑넓이의 합)$+$(옆넓이)
　　　　　　$=80\pi + 72\pi = 152\pi$ (cm^2)

085 🗒 (1) 40π cm^2 (2) 96π cm^2 (3) 136π cm^2
(1) (큰 원의 넓이)$=\pi \times 6^2 = 36\pi$ (cm^2)
　　(작은 원의 넓이)$=\pi \times 2^2 = 4\pi$ (cm^2)
　　즉,
　　(입체도형의 두 밑넓이의 합)$=36\pi + 4\pi$
　　　　　　　　　　　　　　$=40\pi$ (cm^2)
(2) (원뿔대의 옆넓이)
　　$=$(큰 부채꼴의 넓이)$-$(작은 부채꼴의 넓이)
　　$=(\pi \times 6 \times 9) - (\pi \times 2 \times 3)$
　　$=48\pi$ (cm^2)
　　(원기둥의 옆넓이)$=12\pi \times 4 = 48\pi$ (cm^2)
　　즉, (입체도형의 옆넓이)$=48\pi + 48\pi = 96\pi$ (cm^2)
(3) (입체도형의 겉넓이)
　　$=$(입체도형의 두 밑넓이의 합)$+$(입체도형의 옆넓이)
　　$=40\pi + 96\pi = 136\pi$ (cm^2)

086 🗒 (1) 18개 (2) 18 cm^3
(1) $3 \times 3 \times 2 = 18$(개)
(2) $18 \times 1 = 18$ (cm^3)

087 🗒 250 cm^3
(직육면체의 부피)$=5 \times 5 \times 10 = 250$ (cm^3)

088 🗒 36 cm^3
(밑넓이)$=\dfrac{1}{2} \times 3 \times 4 = 6$ (cm^2)
따라서 (부피)$=6 \times 6 = 36$ (cm^3)

089 🗒 90 cm^3
오른쪽 그림과 같이 사각기둥의 밑면
을 2개의 삼각형으로 나누면 두 삼각
형의 넓이는

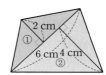

(①의 넓이)$=\dfrac{1}{2} \times 6 \times 2 = 6$ (cm^2)
(②의 넓이)$=\dfrac{1}{2} \times 6 \times 4 = 12$ (cm^2)
따라서

$$(부피)=(밑넓이)\times(높이)$$
$$=(6+12)\times5=90\ (\text{cm}^3)$$

090 답 15 cm

기둥의 높이를 x cm라 하면

$(밑넓이)=4\times3=12\ (\text{cm}^2)$

$(부피)=12\times x=180$

따라서 $x=15$

091 답 ④

정육면체의 한 모서리의 길이를 a cm라 하면

$(겉넓이)=a^2\times6=150$

$a^2=25,\ a=5\ (a>0)$

따라서

$(부피)=5\times5\times5=125\ (\text{cm}^3)$

092 답 (1) 112π cm³ (2) 360π cm³

(1) $(밑넓이)=\pi\times4^2=16\pi\ (\text{cm}^2)$

  따라서

  $(부피)=(밑넓이)\times(높이)$
  $$=16\pi\times7=112\pi\ (\text{cm}^3)$$

(2) $(밑넓이)=\pi\times6^2=36\pi\ (\text{cm}^2)$

  따라서

  $(부피)=(밑넓이)\times(높이)$
  $$=36\pi\times10=360\pi\ (\text{cm}^3)$$

093 답 150π cm³

$(부피)=(밑넓이)\times(높이)$
$$=25\pi\times6=150\pi\ (\text{cm}^3)$$

094 답 7

$(부피)=(밑넓이)\times(높이)$
$$=25\pi\times x=175\pi$$

따라서 $x=7$

095 답 3 cm

$(부피)=(밑넓이)\times(높이)$에서

밑면의 반지름의 길이를 r cm라 하면

$$60\pi=\pi r^2\times\frac{60}{9}$$

$\pi r^2=9\pi,\ r=3\ (r>0)$

따라서 밑면인 원의 반지름의 길이는 3 cm이다.

096 답 ①

$(밑넓이)=\pi\times14^2=196\pi\ (\text{cm}^2)$

따라서

$(부피)=(밑넓이)\times(높이)$
$$=196\pi\times6=1176\pi\ (\text{cm}^3)$$

097 답 324π cm³

밑면의 반지름의 길이를 x cm라 하면

$(원의 둘레의 길이)=2\pi\times x=12\pi$

즉, $x=6$

$(밑넓이)=\pi\times6^2=36\pi\ (\text{cm}^2)$

따라서

$(부피)=(밑넓이)\times(높이)$
$$=36\pi\times9=324\pi\ (\text{cm}^3)$$

098 답 (1) 80 cm³ (2) 147π cm³

(1) $(각뿔의 부피)=\dfrac{1}{3}\times(밑넓이)\times(높이)$
$$=\frac{1}{3}\times(5\times6)\times8$$
$$=80\ (\text{cm}^3)$$

(2) $(원뿔의 부피)=\dfrac{1}{3}\times(밑넓이)\times(높이)$
$$=\frac{1}{3}\times(\pi\times7^2)\times9$$
$$=147\pi\ (\text{cm}^3)$$

099 답 ①

원뿔의 높이를 x cm라 하면

$(밑넓이)=\pi\times6^2=36\pi\ (\text{cm}^2)$

$(부피)=\dfrac{1}{3}\times36\pi\times x=48\pi$

따라서 $x=4$

100 답 30π cm³

$(작은 원뿔의 부피)=\dfrac{1}{3}\times(\pi\times3^2)\times4=12\pi\ (\text{cm}^3)$

$($ 큰 원뿔의 부피 $) = \dfrac{1}{3} \times (\pi \times 3^2) \times 6 = 18\pi \ (\text{cm}^3)$

따라서 $($ 부피 $) = 12\pi + 18\pi = 30\pi \ (\text{cm}^3)$

101 📝 18

$($ 기둥의 물의 부피 $) = 10 \times 10 \times 6$

$($ 각뿔의 부피 $) = \dfrac{1}{3} \times 10^2 \times x$

이때 $($ 각뿔의 부피 $) = ($ 기둥의 물의 부피 $)$ 이므로

$\dfrac{1}{3} \times 10^2 \times x = 10 \times 10 \times 6$

따라서 $x = 18$

102 📝 (1) $56 \ \text{cm}^3$　(2) $130 \ \text{cm}^3$

(1) $($ 각뿔대의 부피 $)$

$= ($ 큰 각뿔의 부피 $) - ($ 작은 각뿔의 부피 $)$

$= \dfrac{1}{3} \times (6 \times 4) \times 8 - \dfrac{1}{3} \times (3 \times 2) \times 4$

$= 64 - 8 = 56 \ (\text{cm}^3)$

(2) $($ 각뿔대의 부피 $)$

$= ($ 큰 각뿔의 부피 $) - ($ 작은 각뿔의 부피 $)$

$= \dfrac{1}{3} \times \left(\dfrac{1}{2} \times 6 \times 9 \right) \times 15 - \dfrac{1}{3} \times \left(\dfrac{1}{2} \times 2 \times 3 \right) \times 5$

$= 135 - 5 = 130 \ (\text{cm}^3)$

103 📝 (1) $\dfrac{485}{3}\pi \ \text{cm}^3$　(2) $84\pi \ \text{cm}^3$

(1) $($ 원뿔대의 부피 $)$

$= ($ 큰 원뿔의 부피 $) - ($ 작은 원뿔의 부피 $)$

$= \dfrac{1}{3} \times (\pi \times 8^2) \times 8 - \dfrac{1}{3} \times (\pi \times 3^2) \times 3$

$= \dfrac{512}{3}\pi - 9\pi = \dfrac{485}{3}\pi \ (\text{cm}^3)$

(2) $($ 원뿔대의 부피 $)$

$= ($ 큰 원뿔의 부피 $) - ($ 작은 원뿔의 부피 $)$

$= \dfrac{1}{3} \times (\pi \times 6^2) \times 8 - \dfrac{1}{3} \times (\pi \times 3^2) \times 4$

$= 96\pi - 12\pi = 84\pi \ (\text{cm}^3)$

104 📝 $112\pi \ \text{cm}^3$

회전체는 원뿔대이다.

따라서

$($ 원뿔대의 부피 $)$

$= ($ 큰 원뿔의 부피 $) - ($ 작은 원뿔의 부피 $)$

$= \dfrac{1}{3} \times (\pi \times 8^2) \times 6 - \dfrac{1}{3} \times (\pi \times 4^2) \times 3$

$= 128\pi - 16\pi = 112\pi \ (\text{cm}^3)$

105 📝 $752\pi \ \text{cm}^3$

$($ 원뿔대의 부피 $)$

$= ($ 큰 원뿔의 부피 $) - ($ 작은 원뿔의 부피 $)$

$= \dfrac{1}{3} \times (\pi \times 8^2) \times 6 - \dfrac{1}{3} \times (\pi \times 4^2) \times 3$

$= 128\pi - 16\pi = 112\pi \ (\text{cm}^3)$

$($ 원기둥의 부피 $) = \pi \times 8^2 \times 10 = 640\pi \ (\text{cm}^3)$

따라서

$($ 입체도형의 부피 $)$

$= ($ 원뿔대의 부피 $) + ($ 원기둥의 부피 $)$

$= 112\pi + 640\pi = 752\pi \ (\text{cm}^3)$

106 📝 (1) 겉넓이: $324\pi \ \text{cm}^2$, 부피: $972\pi \ \text{cm}^3$

　　　(2) 겉넓이: $100\pi \ \text{cm}^2$, 부피: $125\pi \ \text{cm}^3$

　　　(3) 겉넓이: $108\pi \ \text{cm}^2$, 부피: $144\pi \ \text{cm}^3$

　　　(4) 겉넓이: $200\pi \ \text{cm}^2$, 부피: $\dfrac{1000}{3}\pi \ \text{cm}^3$

(1) $($ 겉넓이 $) = 4\pi \times 9^2 = 324\pi \ (\text{cm}^2)$

　 $($ 부피 $) = \dfrac{4}{3}\pi \times 9^3 = 972\pi \ (\text{cm}^3)$

(2) $($ 겉넓이 $) = \dfrac{3}{4} \times (4\pi \times 5^2) + \pi \times 5^2 = 100\pi \ (\text{cm}^2)$

　 $($ 부피 $) = \dfrac{3}{4} \times \left(\dfrac{4}{3}\pi \times 5^3 \right) = 125\pi \ (\text{cm}^3)$

(3) $($ 겉넓이 $) = \dfrac{1}{2} \times (4\pi \times 6^2) + \pi \times 6^2 = 108\pi \ (\text{cm}^2)$

　 $($ 부피 $) = \dfrac{1}{2} \times \left(\dfrac{4}{3}\pi \times 6^3 \right) = 144\pi \ (\text{cm}^3)$

(4) $($ 겉넓이 $) = \dfrac{1}{4} \times (4\pi \times 10^2) + \pi \times 10^2 = 200\pi \ (\text{cm}^2)$

　 $($ 부피 $) = \dfrac{1}{4} \times \left(\dfrac{4}{3}\pi \times 10^3 \right) = \dfrac{1000}{3}\pi \ (\text{cm}^3)$

107 📝 겉넓이: 4배, 부피: 8배

$($ 반지름의 길이가 $r \ \text{cm}$ 인 구의 겉넓이 $) = 4\pi r^2$

$($ 반지름의 길이가 $2r \ \text{cm}$ 인 구의 겉넓이 $) = 4\pi \times (2r)^2$

$= 16\pi r^2$

따라서 겉넓이는 4배가 된다.

$($ 반지름의 길이가 $r \ \text{cm}$ 인 구의 부피 $) = \dfrac{4}{3}\pi r^3$

$$(\text{반지름의 길이가 } 2r \text{ cm인 구의 부피}) = \frac{4}{3}\pi \times (2r)^3$$
$$= \frac{32}{3}\pi r^3$$

따라서 부피는 8배가 된다.

108 답 $720\pi \text{ cm}^3$
(휴지통의 부피)
$= (\text{원기둥의 부피}) + \frac{1}{2} \times (\text{구의 부피})$
$= (\pi \times 6^2 \times 16) + \frac{1}{2} \times \left(\frac{4}{3}\pi \times 6^3\right)$
$= 576\pi + 144\pi$
$= 720\pi \ (\text{cm}^3)$

109 답 5 cm
$$(\text{구 1개의 부피}) = \frac{4}{3} \times \pi \times 5^3 = \frac{500}{3}\pi \ (\text{cm}^3)$$
$$(\text{구 3개의 부피}) = \frac{500}{3}\pi \times 3 = 500\pi \ (\text{cm}^3)$$
구를 원기둥 모양의 그릇에 넣었을 때 올라간 물의 높이를 x cm라고 하면
$\pi \times 10^2 \times x = 500\pi$, 즉 $x = 5$
따라서 올라간 물의 높이는 5 cm이다.

110 답 반지름의 길이: 9 cm , 부피: $972\pi \text{ cm}^3$
구의 반지름의 길이를 r cm라 하면
$(\text{구의 겉넓이}) = 4\pi \times r^2 = 324\pi$
$r^2 = 81$, 즉 $r = 9 \ (r > 0)$
따라서
$$(\text{구의 부피}) = \frac{4}{3}\pi \times 9^3 = 972\pi \ (\text{cm}^3)$$

111 답 (1) $5, 10, 250\pi$ (2) $5, \frac{500}{3}\pi$ (3) $5, 10, \frac{250}{3}\pi$
(4) $3, 2, 1$
(1) $(\text{원기둥의 부피}) = \pi \times 5^2 \times 10 = 250\pi \ (\text{cm}^3)$
(2) $(\text{구의 부피}) = \frac{4}{3}\pi \times 5^3 = \frac{500}{3}\pi \ (\text{cm}^3)$
(3) $(\text{원뿔의 부피}) = \frac{1}{3} \times \pi \times 5^2 \times 10 = \frac{250}{3}\pi \ (\text{cm}^3)$
(4) 원기둥, 구, 원뿔의 부피의 비는
$$250\pi : \frac{500}{3}\pi : \frac{250}{3}\pi = 3 : 2 : 1$$

112 답 구의 부피: $\frac{32}{3}\pi \text{ cm}^3$, 원뿔의 부피: $\frac{16}{3}\pi \text{ cm}^3$,
원기둥의 부피: $16\pi \text{ cm}^3$
밑면의 반지름의 길이가 2 cm이므로
$(\text{구의 부피}) = \frac{4}{3}\pi \times 2^3 = \frac{32}{3}\pi \ (\text{cm}^3)$
$(\text{원뿔의 부피}) = \frac{1}{3}\pi \times 2^2 \times 4 = \frac{16}{3}\pi \ (\text{cm}^3)$
$(\text{원기둥의 부피}) = \pi \times 2^2 \times 4 = 16\pi \ (\text{cm}^3)$

113 답 구의 부피: $50\pi \text{ cm}^3$, 원뿔의 부피: $25\pi \text{ cm}^3$
원기둥의 밑면의 반지름의 길이를 r cm라 하면
$(\text{원기둥의 부피}) = \pi \times r^2 \times 2r = 75\pi$
즉, $r^3 = \frac{75}{2}$
따라서
$(\text{구의 부피}) = \frac{4}{3}\pi r^3 = \frac{4}{3}\pi \times \frac{75}{2} = 50\pi \ (\text{cm}^3)$
$(\text{원뿔의 부피}) = \frac{1}{3} \times \pi r^2 \times 2r = \frac{2}{3}\pi r^3$
$$= \frac{2}{3}\pi \times \frac{75}{2} = 25\pi \ (\text{cm}^3)$$

| 다른 풀이 |
$(\text{원기둥의 부피}) : (\text{구의 부피}) = 3 : 2$
$75\pi : (\text{구의 부피}) = 3 : 2$
따라서 $(\text{구의 부피}) = 50\pi \ (\text{cm}^3)$
$(\text{원기둥의 부피}) : (\text{원뿔의 부피}) = 3 : 1$
$75\pi : (\text{원뿔의 부피}) = 3 : 1$
따라서 $(\text{원뿔의 부피}) = 25\pi \ (\text{cm}^3)$

114 답 (1) ① $2, 12\pi$ ② $4, 6, 72\pi$ ③ $12\pi, 72\pi, 96\pi$
(2) ① $6, 96\pi$ ② $2, 6, 24\pi$ ③ $96\pi, 24\pi, 72\pi$
(1) 겉넓이 구하기
① $(\text{밑넓이}) = \pi \times 4^2 - \pi \times 2^2 = 12\pi \ (\text{cm}^2)$
② (옆넓이)
$= (\text{큰 기둥의 옆넓이}) + (\text{작은 기둥의 옆넓이})$
$= 8\pi \times 6 + 4\pi \times 6$
$= 48\pi + 24\pi$
$= 72\pi \ (\text{cm}^2)$
③ $(\text{입체도형의 겉넓이}) = 12\pi \times 2 + 72\pi$
$= 96\pi \ (\text{cm}^2)$
(2) 부피 구하기
① $(\text{큰 원기둥의 부피}) = \pi \times 4^2 \times 6 = 96\pi \ (\text{cm}^3)$
② $(\text{작은 원기둥의 부피}) = \pi \times 2^2 \times 6 = 24\pi \ (\text{cm}^3)$

③ (입체도형의 부피)$=96\pi-24\pi=72\pi$ (cm^3)

115 🖉 겉넓이: 240π cm^2, 부피: 320π cm^3

(i) (밑넓이)$=$(큰 기둥의 밑넓이)$-$(작은 기둥의 밑넓이)
$=(\pi\times7^2)-(\pi\times3^2)=40\pi$ (cm^2)
(옆넓이)$=$(큰 기둥의 옆넓이)$+$(작은 기둥의 옆넓이)
$=(2\pi\times7\times8)+(2\pi\times3\times8)$
$=112\pi+48\pi=160\pi$ (cm^2)

따라서
(겉넓이)$=$(밑넓이)$\times2+$(옆넓이)
$=40\pi\times2+160\pi=240\pi$ (cm^2)
(ii) (부피)$=$(큰 기둥의 부피)$-$(작은 기둥의 부피)
$=\pi\times7^2\times8-\pi\times3^2\times8$
$=392\pi-72\pi$
$=320\pi$ (cm^3)

116 🖉 $(1000-90\pi)$ cm^3

(부피)$=$(각기둥의 부피)$-$(원기둥의 부피)
$=10\times10\times10-\pi\times3^2\times10$
$=1000-90\pi$ (cm^3)

117 🖉 (1) 원뿔, ① 3, 9π ② 5, 39π ③ 9π, 39π, 48π
(2) ① 3, 36π ② 3, 4, 12π ③ 36π, 12π, 24π

(1) 겉넓이 구하기
주어진 회전체는 원기둥에 원뿔 모양의 구멍이 있는 입체
도형이다.

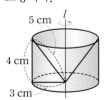

① (원기둥의 밑넓이)$=\pi\times3^2=9\pi$ (cm^2)
② (회전체의 옆넓이)
$=$(원기둥의 옆넓이)$+$(원뿔의 옆넓이)
$=6\pi\times4+\pi\times3\times5=39\pi$ (cm^2)
③ (회전체의 겉넓이)$=9\pi+39\pi$
$=48\pi$ (cm^2)
(2) 부피 구하기
① (원기둥의 부피)$=\pi\times3^2\times4=36\pi$ (cm^3)

② (원뿔의 부피)$=\dfrac{1}{3}\times\pi\times3^2\times4=12\pi$ (cm^3)
③ (회전체의 부피)$=36\pi-12\pi=24\pi$ (cm^3)

118 🖉 78π cm^3

회전시킨 입체도형은 다음 그림과 같다.

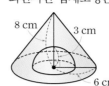

(원뿔의 부피)$=\dfrac{1}{3}\times\pi\times6^2\times8=96\pi$ (cm^3)

(반구의 부피)$=\dfrac{1}{2}\times\left(\dfrac{4}{3}\pi\times3^3\right)=18\pi$ (cm^3)

따라서
(회전체의 부피)$=96\pi-18\pi=78\pi$ (cm^3)

119 🖉 361π cm^3

주어진 회전체는 반구에 원기둥 모양의 구멍이 있는 입체도
형이다.

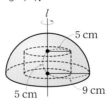

(반구의 부피)$=\dfrac{1}{2}\times\dfrac{4}{3}\pi\times9^3=486\pi$ (cm^3)

(원기둥의 부피)$=\pi\times5^2\times5=125\pi$ (cm^3)
따라서
(입체도형의 부피)$=$(반구의 부피)$-$(원기둥의 부피)
$=486\pi-125\pi$
$=361\pi$ (cm^3)

120 🖉 (1) 256 cm^2 (2) 244 cm^3

(1) 잘라 낸 면을 평행이동하면 자르기 전의 직육면체의 겉넓
이와 같으므로 잘라 내고 남은 입체도형의 겉넓이는
(직육면체의 밑넓이)$=8\times8=64$ (cm^2)
(직육면체의 옆넓이)$=(8+8+8+8)\times4=128$ (cm^2)
(직육면체의 겉넓이)$=64\times2+128=256$ (cm^2)
따라서
(입체도형의 겉넓이)$=256$ (cm^2)

(2) (입체도형의 부피)

 = (직육면체의 부피) − (잘라 낸 직육면체의 부피)

 = $8 \times 8 \times 4 - 2 \times 3 \times 2 = 244$ (cm^3)

121   🖋 $5 : 1$

정육면체의 한 모서리의 길이를 x cm라 하면

(정육면체의 부피) $= x \times x \times x = x^3$ (cm^3)

$\text{(삼각뿔의 부피)} = \dfrac{1}{3} \times \left(\dfrac{1}{2} \times x \times x \right) \times x$

$\qquad\qquad\qquad = \dfrac{1}{6} x^3$ (cm^3)

즉, (큰 입체도형의 부피) $= x^3 - \dfrac{1}{6} x^3 = \dfrac{5}{6} x^3$ (cm^3)

따라서 구하는 부피의 비는

(큰 입체도형의 부피) : (작은 입체도형의 부피)

$= \dfrac{5}{6} x^3 : \dfrac{1}{6} x^3 = 5 : 1$

122   🖋 600 cm^3

(직육면체의 부피) $= 15 \times 8 \times 6 = 720$ (cm^3)

(남은 물의 부피) = (삼각뿔의 부피)

$\qquad\qquad\qquad = \dfrac{1}{3} \times \left(\dfrac{1}{2} \times 8 \times 6 \right) \times 15$

$\qquad\qquad\qquad = 120$ (cm^3)

따라서

(흘려 버린 물의 부피)

= (직육면체의 부피) − (남은 물의 부피)

$= 720 - 120 = 600$ (cm^3)

123   🖋 (1) 6, 10, 120π (2) 120π, 10

(1) $\text{(원뿔의 부피)} = \dfrac{1}{3} \times \pi \times 6^2 \times 10$

$\qquad\qquad\qquad = 120\pi$ (cm^3)

(2) (원뿔 모양의 그릇을 가득 채우는 데 걸리는 시간)

$\qquad = \dfrac{\text{(원뿔의 부피)}}{\text{(1분에 채워지는 물의 양)}}$

$\qquad = \dfrac{120\pi}{12\pi} = 10 (\text{분})$

124   🖋 ⑤

$\text{(원뿔의 부피)} = \dfrac{1}{3} \times \pi \times 9^2 \times 15 = 405\pi$ (cm^3)

물의 높이가 5 cm가 되는 데 1분 걸렸으므로

(1분에 채워지는 물의 양) = (물의 부피)

$\qquad\qquad\qquad\qquad = \dfrac{1}{3} \times \pi \times 3^2 \times 5$

$\qquad\qquad\qquad\qquad = 15\pi$ (cm^3)

따라서

(원뿔 모양의 그릇을 가득 채우는 데 걸리는 시간)

$= \dfrac{405\pi}{15\pi} = 27 (\text{분})$

이므로 더 걸리는 시간은 $27 - 1 = 26 (\text{분})$

125   🖋 54분

$\text{(원뿔의 부피)} = \dfrac{1}{3} \times \pi \times 9^2 \times 12 = 324\pi$ (cm^3)

따라서 물이 가득 차는 데 걸리는 시간은

$\dfrac{324\pi}{6\pi} = 54 (\text{분})$

09 자료 정리와 해석

001 🗒 (1) 풀이 참조   (2) 감, 포도   (3) 딸기   (4) 표
(1)
좋아하는 과일별 학생 수

과일	귤	딸기	감	포도	합계
학생 수(명)	4	5	3	3	15

(4) 표는 좋아하는 과일별 학생 수를 한눈에 알 수 있기 때문에 표가 더 편리하다.

002 🗒 풀이 참조

키우고 싶은 채소별 학생 수

채소	상추	감자	애호박	가지	합계
학생 수(명)	9	7	4	6	26

003 🗒 풀이 참조

좋아하는 장난감별 학생 수

장난감	학생 수
인형	😊😊😊😊😊😊😊😊
로봇	😊😊😊😊😊😊
딱지	😊😊😊😊😊
팽이	😊😊😊

😊 10명
😊 1명

004 🗒 (1) 33그루   (2) 풀이 참조   (3) 21그루
(2) 무지개 마을의 단풍나무 수는 42그루이므로
(이슬 마을의 단풍나무 수)=42÷2=21(그루)이다.

단풍나무 수

마을	단풍나무 수
흰돌	🌳🌳🌳🌳🌳
무지개	🌳🌳🌳🌳🌳
이슬	🌳🌳🌳
별빛	🌳🌳🌳

🌳 10그루
🌳 1그루

(3) 흰돌 마을의 단풍나무 수는 33그루이고 별빛 마을의 단풍

나무 수는 12그루이므로
33-12=21(그루) 더 많다.

005 🗒 (1) 고철류   (2) 고철류, 플라스틱류   (3) 80 kg
(1) 플라스틱류의 막대의 길이가 가로 눈금 4칸이므로 눈금이 4×2=8(칸)인 종류를 찾으면 고철류이다.
(2) 종이류보다 막대의 길이가 더 짧은 막대를 모두 찾으면 고철류와 플라스틱류이다.
(3) 쓰레기 양이 가장 많은 종류: 음식물 (120 kg)
쓰레기 양이 가장 적은 종류: 플라스틱류 (40 kg)
따라서 음식물 쓰레기 양이 플라스틱류 쓰레기 양보다
120-40=80 (kg)더 많다.

006 🗒 (1) 피아노   (2) 10명   (3) 풀이 참조   (4) 바이올린
　　　(5) 16명
(1) 바이올린보다 막대의 길이가 긴 악기를 찾으면 피아노이다.
(2) 세로 눈금 3칸이 6명을 나타내므로 세로 눈금 한 칸은
6÷3=2(명)을 나타낸다. 따라서 플루트를 좋아하는 학생은 5칸이므로 2×5=10(명)이다.
(3)

악기	피아노	바이올린	드럼	플루트	합계
학생 수(명)	22	18	6	10	56

(4) 드럼을 좋아하는 학생이 6명이므로 6×3=18(명)의 학생이 좋아하는 악기를 찾으면 바이올린이다.
(5) 좋아하는 학생 수가 가장 많은 악기는 피아노로 22명이고, 가장 적은 악기는 드럼으로 6명이므로 그 차는
22-6=16(명)이다.

007 🗒 ②
7에 대한 4의 비이므로 잘못 읽은 것은 ②이다.

008 🗒 7 : 3
여학생 수의 남학생 수에 대한 비는
(여학생 수) : (남학생 수)=7 : 3

009 🗒 5 : 8
전체에 대한 색칠한 부분의 비는
(색칠한 부분의 칸 수) : (전체 칸 수)=5 : 8

010 🗒 0.5

(색칠한 부분의 칸 수) : (전체 칸 수)$=4:8$

따라서 $\dfrac{4}{8}=0.5$

011 📖 풀이 참조

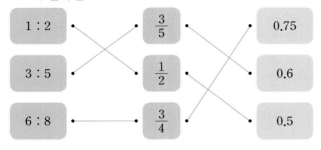

012 📖 (1) $30\,\%$ (2) 여름   (3) 2배   (4) 50명

(1) 겨울을 좋아하는 학생의 비율은

    $100-(15+35+20)=30\,(\%)$

(2) 가장 많은 학생들이 좋아하는 계절은 띠그래프에서 길이가 가장 긴 항목인 여름이다.

(3) 겨울을 좋아하는 학생의 비율은 $30\,\%$, 봄을 좋아하는 학생의 비율은 $15\,\%$이므로 $30\div15=2\,(배)$

(4) 전체 학생을 □명이라 하면

    $\square\times\dfrac{20}{100}=10,\ \square=10\times\dfrac{100}{20}=50\,(명)$

013 📖 (1) $30\,\%$ (2) 3배   (3) 풀이 참조

(1) 콩 생산량의 비율은

    $100-(35+20+10+5)=30\,(\%)$이다.

(2) 콩 : $30\,\%$, 팥 : $10\,\%$

    따라서 $30\div10=3\,(배)$

(3)

곡물 생산량

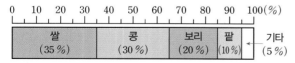

014 📖 풀이 참조

나이   ($3\,|\,2$는 32세)

줄기	잎					
2	2	3	4			
3	2	4	6	8		
4	0	4	6	7	8	9	9
5	2	6				

015 📖 $12.5\,\%$

나이가 50세 이상인 사람은 52세, 56세이고 전체 회원의 수는 16명이므로 $\dfrac{2}{16}\times100=12.5\,(\%)$이다.

016 📖 ⑤

⑤ 나이가 많은 쪽에서 5번째인 회원의 나이는 48세이다.

017 📖 ④

④ 각 계급의 가운데 값을 계급값이라 한다.

018 📖 11

$(학생 수)=3+A+14+7=35$

이므로 $A=11$

019 📖 ⑤

① 계급의 크기는

    $90-60=120-90=\cdots=240-210=30\,(점)$

② 계급의 개수는 6개이다.

③ $A=30-(2+8+3+2+1)=14$

④ $1+2+3=6$이므로 볼링 점수가 10번째로 높은 학생이 속한 계급은 120점 이상 150점 미만이다.

⑤ 볼링 점수가 180점 이상인 학생은 $2+1=3\,(명)$

    따라서 $\dfrac{3}{30}\times100=10\,(\%)$

020 📖 (1) 4개   (2) 30명   (3) 20분 이상 40분 미만   (4) 13명

(2) $2+13+10+5=30\,(명)$

(3) 가장 큰 도수는 13명이므로 그 계급은 20분 이상 40분 미만이다.

(4) 컴퓨터 사용 시간이 27분인 학생이 속하는 계급은 20분 이상 40분 미만이므로 이 계급의 도수는 13명이다.

021 📖 (1) 30명   (2) 6

(1) 턱걸이 기록이 3회 이상 6회 미만인 학생은 전체의 $40\,\%$이므로

    $(전체 학생 수)=12\times\dfrac{100}{40}=30\,(명)$

(2) $7+12+A+5=30$이므로 $A=6$

022 📖 (1) 50   (2) 162.5 cm

(1) $5=\dfrac{1}{2}x$이므로 $x=10$

$y = 3+5+8+x+9+5 = 3+5+8+10+9+5 = 40$

따라서 $x+y = 10+40 = 50$

(2) 키가 큰 쪽에서 10번째인 학생이 속하는 계급은 160 cm 이상 165 cm 미만인 계급이므로 이 계급의 계급값은

$\dfrac{160+165}{2} = 162.5 \, (\text{cm})$

023 답 ⑤

⑤ 직사각형의 넓이의 합은

(계급의 크기)×(도수의 총합)과 같다.

024 답 (1) 5 cm, 5개 (2) 40명 (3) 147.5 cm

(4) 160 cm 이상 165 cm 미만 (5) 25 %

(1) 계급의 크기는 $150-145 = 5 \, (\text{cm})$, 계급의 개수는 5개

(2) 전체 학생 수는 $4+6+12+10+8 = 40 \, (\text{명})$이다.

(3) 도수가 가장 작은 계급은 145 cm 이상 150 cm 미만이므로 계급값은

$\dfrac{145+150}{2} = 147.5 \, (\text{cm})$이다.

(4) 160 cm 이상 170 cm 미만인 계급에 속하는 학생 수가 $10+8 = 18 \, (\text{명})$이므로 키가 15번째로 큰 학생은 160 cm 이상 165 cm 미만인 계급에 속한다.

(5) 키가 160 cm 이상 165 cm 미만인 학생의 수는 10명이므로 전체의 $\dfrac{10}{40} \times 100 = 25 \, (\%)$이다.

025 답 ③, ⑤

① 계급의 크기가 너무 작으면 자료의 전체적인 경향을 파악하기가 곤란하다.

④ 양 끝에 도수가 0인 계급을 추가한다.

따라서 옳은 것은 ③, ⑤이다.

026 답 ②, ④

① 계급은 7개이다.

② 조사 대상 학생은

$2+7+10+16+14+7+4 = 60 \, (\text{명})$이다.

③ 도수가 가장 작은 계급의 계급값은 $\dfrac{10+15}{2} = 12.5 \, (\text{m})$

이다.

④ 30 m 이상 40 m 미만을 던진 학생 수는 $14+7 = 21 \, (\text{명})$이다.

⑤ 20 m 미만을 던진 학생은 $2+7 = 9 \, (\text{명})$이므로

$\dfrac{9}{60} \times 100 = 15 \, (\%)$이다.

따라서 옳은 것은 ②, ④이다.

027 답 0.26

(전체 관람객 수) $= 5+15+13+12+5 = 50 \, (\text{명})$

이때 관람 시간이 70분 이상 80분 미만인 계급의 도수는 13명이므로 이 계급의 상대도수는

$\dfrac{13}{50} = 0.26$

028 답 9명

$50 \times 0.18 = 9 \, (\text{명})$

029 답 (1) 25명 (2) 4명 (3) 20 % (4) 5명

기록(cm)	도수(명)	상대도수
140^{이상}~160^{미만}	2	0.08
160 ~180	7	0.28
180 ~200	6	0.24
200 ~220	5	0.20
220 ~240	4	0.16
240 ~260	1	0.04
합계	25	1

(1) (전체 학생 수) $= \dfrac{2}{0.08} = 25 \, (\text{명})$

(2) 멀리뛰기 기록이 220 cm 이상 240 cm 미만인 계급의 상대도수는

$1-(0.08+0.28+0.24+0.20+0.04) = 0.16$

따라서 학생 수는 $0.16 \times 25 = 4 \, (\text{명})$

(3) $(0.16+0.04) \times 100 = 20 \, (\%)$

(4) 멀리뛰기 기록이 200 cm 이상인 학생 수가 10명이므로 기록이 좋은 쪽에서 7번째인 학생이 속한 계급은 200 cm 이상 220 cm 미만이고 이 계급의 도수는 5명이다.

030 답 14명

(전체 학생 수) $= \dfrac{4}{0.08} = 50 \, (\text{명})$이고,

40회 이상 50회 미만인 계급의 상대도수는 0.28이므로

(전체 학생 수) $= 50 \times 0.28 = 14 \, (\text{명})$

031 답 (1) 200명 (2) 50명

(1) (전체 학생 수)$=10 \div 0.05 = 10 \times \dfrac{100}{5} = 200$(명)

(2) $200 \times 0.25 = 50$(명)

032 📘 19명

상대도수가 가장 큰 계급의 도수가 가장 크므로 도수가 가장 큰 계급은 7개 이상 9개 미만이다.

따라서 $0.38 \times 50 = 19$(명)

033 📘 ④

가족과의 대화 시간이 1시간 이상 4시간 미만인 학생의 상대도수는 $0.1 + 0.2 + 0.4 = 0.7$이므로 전체의 70 %이다.

034 📘 ①

가족과의 대화 시간이 4시간 이상 6시간 미만인 상대도수는 $0.25 + 0.05 = 0.3$이므로 학생 수는 $0.3 \times 40 = 12$(명)이다.

035 📘 ④

① 상대도수가 가장 큰 계급은 155 cm 이상 160 cm 미만이다.

② 상대도수가 클수록 도수도 크다.

③ 상대도수의 총합은 항상 1이다.

④ $(0.12 + 0.02) \times 100 = 14$ (%)

⑤ $50 \times (0.24 + 0.26) = 25$(명)

따라서 옳은 것은 ④이다.

036 📘 ④

① B 중학교의 그래프가 A 중학교의 그래프보다 오른쪽으로 치우쳐 있으므로 B 중학교가 A 중학교에 비해 성적이 좋은 학생이 상대적으로 더 많다.

② $(0.04 + 0.16) \times 100 = 20$ (%)

③ A 중학교에서 80점 이상인 학생은 전체의
$(0.04 + 0.16) \times 100 = 20$ (%)

④ $100 \times 0.16 = 16$(명)

⑤ 계급의 크기와 상대도수의 총합이 각각 같으므로 두 그래프의 넓이는 같다.

따라서 옳지 않은 것은 ④이다.

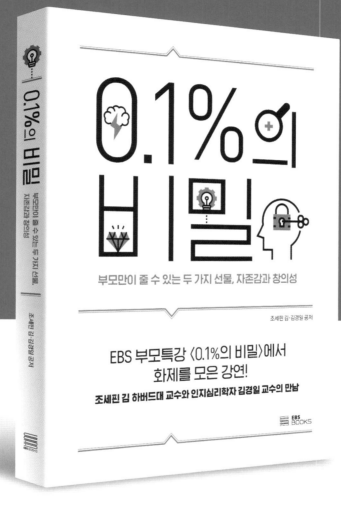

- ✛ **수학 전문가 100여 명의 노하우로 만든**
  수학 특화 시리즈

- ✛ **연산 ε ▸ 개념 α ▸ 유형 β ▸ 고난도 Σ 의**
  단계별 영역 구성

- ✛ **난이도별, 유형별 선택으로**
  사용자 맞춤형 학습

연산 ε(6책) ┃ **개념 α**(6책) ┃ **유형 β**(6책) ┃ **고난도 Σ**(6책)

EBS No.1 과목 특화 브랜드

중학 국어 어휘

중학 국어 학습에 반드시 필요하고
자주 나오는 개념어, 주제어, 관용 표현 선정 수록

어휘가 바로 독해의 열쇠!
성적에 직결되는 어휘력, 갈수록 어려워지는 국어는
이 책으로 한 방에 해결!!!

어려운 문학 용어, 속담과 한자성어 등
관용 표현을 만화와 삽화로 설명하여
쉽고 재미있게 읽을 수 있는 구성

중학생이 꼭 알아야 할 지문 속 어휘의 뜻,
지문에 대한 이해를 묻는 문제 풀이로
어휘력, 독해력을 함께 키우는 30강 단기 완성!

예비 고등학생을 위한 **기본 수학 개념서**

50일
수학 상 하

50일 수학 상 하 |2책|

- 중학 수학과 고교 1학년 **수학 총정리**

- 수학의 **영역별 핵심 개념**을 **완벽 정리**

- 주제별 개념 정리로 **모르는 개념과 공식**만 집중 연습

"고등학교 수학, 더 이상의 걱정은 없다!"